POUR JEAN PRÉVOST

JÉRÔME GARCIN

Pour
Jean Prévost

GALLIMARD

à Anne-Marie,
Gabriel, Jeanne, et Clément.

Que faire pour honorer les morts, sinon bien vivre?

JEAN PRÉVOST
La Chasse du matin, IV, 2.

– De la hauteur? dit Leuwen étonné.
– Sans doute. Vous avez eu des idées, ils ne vous ont pas compris. Vous avez eu cent fois trop d'esprit pour ces animaux-là. *Vous tendez vos filets trop haut.*

STENDHAL
Lucien Leuwen, II, L.

PRÉAMBULE

J'aime le verbe résister. J'aime qu'on l'applique à l'arbre ancestral qui ne cède ni aux bourrasques ni aux promoteurs, et, comme le platane de Balzac à Vendôme, protège ceux qu'il rassemble sous sa frondaison équitable ; qu'on l'attribue à la pierre qui souffre de la main qui la sculpte, du statuaire qui la dompte ; qu'on l'emploie pour l'air ou l'eau qui s'opposent calmement aux mouvements des corps. J'aime qu'à peine nommé, ce verbe induise et combatte aussitôt ses contraires : fléchir, capituler, se soumettre, abdiquer, faiblir, démissionner, s'abandonner.

J'aime que la résistance vaille aussi bien pour le chef-d'œuvre supportant sans effort le poids des siècles que pour l'homme dont la faculté à lutter contre la douleur, à prévenir la menace, à défier la certitude de mourir, développe une puissance secrète et végétale. J'aime en effet ce que le mot contient de rébellion naturelle, sans qu'on sache mesurer, dans son expression humaine, ce qui distingue l'endurance physique de la sédition intellectuelle.

Je regrette qu'on en ait le plus souvent réservé l'usage aux faits militaires. La résistance n'est pas l'apanage du maquis, ni des livres d'histoire. Toute sa vie, Jean Pré-

11

vost s'est appliqué, méthodique et opiniâtre, à démontrer que l'esprit s'entraîne à repousser les modes, les compromissions, les préjugés, comme le corps se défend contre l'impéritie, le gras, et sa propre amnésie. Le Vercors n'a pas été pour lui une première aventure, mais l'ultime allégorie d'une idée exprimée pendant des décennies.

Il y a, dans l'art équestre, une technique admirable et délicate que le maître Nuno Oliveira a même élevée à la hauteur d'une philosophie : c'est « le rassembler ». Il est la rançon d'une entente exceptionnelle entre le cavalier et son cheval qui ont appris, l'un et l'autre, à longtemps se contrarier jusqu'à fonder un équilibre parfait à partir duquel toutes les figures sont possibles. La beauté du rassembler, ce sont – visibles de l'encolure arrondie à la croupe inclinée – cette force concentrée, fluide, ces muscles chauds, élastiques, prêts à servir, cette autorité par prétérition, ce bloc harmonieux de nerfs mêlés aux rêves les plus fous. Prévost s'est exercé au rassembler jusqu'à la guerre. Après quoi, l'œil rivé sur les barres, il s'est jeté sur l'obstacle de volée.

C'est la preuve qu'on apprend à résister. Comme à lire, écrire, penser. Prévost n'a pas attendu les troupes allemandes pour refuser l'arbitraire, ni la chute de son pays pour se révolter contre l'ennemi. Son œuvre est un long précis de désobéissance contre l'obscurantisme, c'est-à-dire de discipline intime, de subordination au seul ministère de l'idiosyncrasie. Si, en politique comme en architecture, en économie comme en cinéma, il eut un demi-siècle d'avance sur ses contemporains, ce n'est pas seulement qu'il était doué pour la chimère, c'est qu'il savait d'abord résister aux mensonges, aux prudences, à l'anachronisme, à la cécité de son époque.

Franc-tireur en temps de guerre, c'est de la polémologie. En temps de paix, c'est de la philosophie. Dans les deux cas, où d'ailleurs le collaborateur reste un capitulard, c'est estimer que l'homme mérite de vivre au-dessus de ses moyens.

Du plus loin que je me souvienne, je n'ai pas laissé de croiser Jean Prévost. Sans toujours mesurer qu'à force de coïncidences, l'homme me devenait, me deviendrait, si familier. Au lycée Henri-IV, dans la cour des khâgneux et l'ombre portée de la tour Clovis, nous cultivions, tel un secret glissé de génération en génération, la mémoire de ce couple morganatique qui avait hanté nos classes, au mobilier inchangé depuis la IIIᵉ République : le sage Émile Chartier, régent de l'ordre intellectuel, et son fougueux, indocile, insolent disciple – l'auteur de *Dix-huitième année*.

C'était notre âge, justement, en 1974. Nous étions des béjaunes qui avions raté 68 comme Prévost la mobilisation de 14 : il nous manquait de nous être battus sinon avec des pavés, du moins pour des idées ; on enrageait de ne savoir et de ne devoir s'affronter qu'en version latine, et pour le concours de la rue d'Ulm. Alors nous lisions Heidegger en fumant la pipe pour nous donner l'illusion de vieillir, et oublier que nous avions perdu l'occasion d'être jeunes. Dans le quartier des barricades disparues et des rues désormais bitumées où se promenaient, rassurés et triomphants, les électeurs de Giscard d'Estaing, nous errions vers le Luxembourg en regrettant non seulement la révolution, mais aussi d'avoir caressé davantage de Budé non massicotés que de corps de femmes.

Fréquenter Prévost calmait, sur la montagne Sainte-Geneviève, nos ardeurs sans emploi. Il avait usé ses fonds de culotte sur les mêmes chaises, déposé son Gaffiot sur les mêmes tables blondes, et l'on rêvait qu'en partageant sa passion pour Stendhal, on aurait un peu de son audace physique, politique, et amoureuse. Prévost nous a rendu notre jeunesse évanouie. Il fut notre Marx, notre Gide, notre Wilhelm Reich, et notre grand frère.

Parce qu'il avait écrit dans *Dix-huitième année*: « Maintenant je vais vivre. Pour ne point trop se chérir, ni s'émouvoir, il faudrait ne point trop se souvenir», j'avais alors cessé de pleurer mes morts et commencé de les honorer. J'allais vivre aussi, aimer très fort, avoir des enfants, souhaiter comme Prévost « qu'ils me dépassent ou me contredisent», donner aux journaux ce que j'avais refusé à l'Université, et tenter de résister à ce qui avilit parfois le métier d'exister.

Depuis, je ne l'ai plus quitté, Prévost. Le hasard, qui fait bien les choses, a même voulu qu'on me présentât à lui, incidemment. Je me souviens de Louise Weiss – que j'allais souvent voir dans son duplex théâtral de l'avenue du Président-Wilson où, telle Réjane, elle recevait à heures fixes – évoquant son collaborateur de l'*Europe nouvelle* avec une admiration où passaient de la fierté maternelle mais aussi le romantisme de l'éternelle demoiselle, éprise des hommes qui montent au front sans se retourner. La doyenne du Parlement de Strasbourg, et « impie respectueuse», se flattait d'avoir travaillé avec l'humaniste pacifiste, mais elle admirait, plus que tout, le Fanfan du Vercors.

Je me souviens aussi de Simon Nora, frère d'armes et dernier témoin vivant du capitaine Goderville: un soir où nous marchions dans l'île de Noirmoutier tandis que le soleil se couchait sur l'Atlantique, il m'avait raconté le Vercors et cette mystérieuse grotte des Fées où, la veille d'être tué, Jean Prévost lui avait révélé sa vraie identité et donné, comme on fait un legs, le goût persistant des Épicuriens français...

Je me souviens de Vercors – dont Anne Philipe me parlait souvent comme d'un homme de confiance et de fidélité – m'adressant aux *Nouvelles littéraires* en 1981 une longue lettre ouverte dans laquelle il suppliait les éditeurs de Jean Prévost de ne pas « étrangler son œuvre dans une cave », une œuvre qui lui semblait valoir celles de Malraux ou Camus.

Je me souviens d'un dîner avec Françoise et Michel Prévost qui ressemblait à un pique-nique. On avait ri, on avait bu, et parlé de leur père une bonne partie de la nuit : jamais un mort n'avait été si joyeusement, si évidemment présent.

Je ne conçois pas d'exercice d'admiration qui ne soit un précis de désobéissance. Ce *Pour Jean Prévost* est donc un « Contre beaucoup d'autres ».

Les raisons de la colère

Les intellectuels de gauche brillent à méditer sans fin les errements de Drieu, ou la veulerie de Brasillach – je ne sache pas qu'ils s'exercent à réfléchir sur les bons choix, la juste cause, et les prémonitions de Prévost. Eux qui abusent, comme d'une drogue, du mot « éthique », et se gargarisent d'une morale dont ils prétendent, sans grand risque, être les garants, paraissent soudain lassés, et même dégoûtés, de les voir s'incarner dans un homme à la vie exemplaire. Cela fait quarante ans que la mémoire de Prévost souffre davantage de l'indifférence et de l'ingratitude oublieuses de ses pairs que du mépris des nostalgiques de ce totalitarisme que, de son vivant, le capitaine Goderville a combattu jusqu'à la mort.

Tombé le 1ᵉʳ août 1944 sous la mitraille nazie au pont Charvet, sur la route de Sassenage, alors qu'il tentait d'échapper à l'étau ennemi enserrant le Vercors, Prévost n'a pas survécu à Goderville. L'Allemand embusqué a abattu le maquisard, les Français tapis ont tué, par leur silence, l'écrivain. Double meurtre : d'un soldat, dans la chaleur bourdonnante et mielleuse de l'été isérois ; d'un intellectuel, par l'éradication systématique de ce qu'il a pensé, de ce qu'il a écrit.

« Cela brise le cœur », me murmurait Henri Guillemin, au soir de sa vie, dans sa maison de Bourgogne, en ajoutant, comme on évoque un ami vivant qui aurait fugué : « Je voudrais tant qu'on le retrouve... » L'oubli est en effet la forme la plus raffinée, la plus hypocrite, des trahisons. Je ne comprends pas. Ce petit livre est né de cette énigme, et de ma rage à ne savoir la résoudre.

Car la France d'après-guerre, si elle exigeait des salauds à immoler, réclamait aussi des héros à célébrer. Elle n'était pas très propre, il fallait bien qu'elle se lavât. Du haut des tribunaux, érigés à la hâte, elle condamna le mal, négligeant de rappeler ce qu'avait été le bien. Il est vrai qu'il fût rare. Les plus féroces inquisiteurs, d'ailleurs, étaient vivants. C'était louche. Les seuls qui eussent pu s'improviser justiciers avaient été enterrés à la va-vite. Et l'on ne fait pas parler les morts : je tiens, allez savoir comment, que Jean Prévost n'eût pas condamné Robert Brasillach à la peine capitale.

Cette France de procureurs, de traumatisés, et d'amnésiques, s'est inventé une geste glorieuse. La paix revenue, elle s'est trouvé un général au nom prédestiné pour conduire l'armée des remords, et un ange gardien pour tendre, aux yeux du monde, vers la vertu recouvrée. De Gaulle l'a sauvée du déshonneur, Gérard Philipe lui a promis l'absolu. La France des années cinquante fut un théâtre sans texte. On y a joué la comédie du courage et l'impromptu de la victoire.

Pour quelle raison a-t-il alors fallu qu'elle oubliât de vénérer, avec Jean Prévost, celui qui aurait été le plus noble des modèles ? Il était le symbole du talent assassiné ; le parangon de la témérité ; il n'avait pas seulement écrit, il avait fait ce qu'il avait écrit ; ce n'était pas un maître à penser, mais à vivre ; aux meilleures de ses idées, il n'avait jamais sacrifié le plaisir d'exister, ni le goût d'une prose musclée. Il avait fait sien, en l'illustrant, le mot que Stendhal envoya à Mme Dembowski le 7 juin 1819 : « C'est l'ensemble de ma vie qui doit parler. »

Il avait été un ardent propagandiste du progrès, un apologiste olympien du sport, un fou de cinéma et d'architecture moderne : toute une jeunesse en mal de héros eût pu, aussitôt, se reconnaître dans ces textes-là, dans cette existence-là, dans cette mort fauchée, tête haute. Jean Prévost était doué pour le bonheur et, plus particulièrement, le bonheur d'être français. Il a mené au front de jeunes garçons sans diplômes, pour arracher ce trésor aux mains de l'occupant.

Alors, pourquoi ce silence obstiné et massacreur ? Parce que la mémoire de Prévost est aussi une mauvaise conscience qui se prolonge. Il avait lu ceci dans Voltaire, et l'avait appliqué : « Nous n'avons que trois jours à vivre. Ce n'est pas la peine de les passer à ramper devant des coquins méprisables. » La littérature française des années noires, quand elle n'a pas collaboré, s'est benoîtement calfeutrée chez elle, pantouflarde et attentiste, ou a choisi l'exil, outre-Atlantique. Combien se sont battus ? Une poignée. René Char, alias capitaine Alexandre, chef de la Durance-Sud ; André Malraux, alias colonel Berger, à la tête des F.F.I. du Lot ; Romain Kacew, alias lieutenant Gary, héros de l'escadrille Lorraine ; Saint-Exupéry ; Jean Guéhenno, Vercors, Camus... La plupart des écrivains résistants ont souffert de leur courage : l'héroïsme gêne, quand la majorité est couarde. C'est, dira Vercors, qui a bien mérité de son pseudonyme, « une gifle à tous les attentistes ». Prévost, victime post mortem d'avoir été une de ces exceptions. Chez beaucoup d'éditeurs français, passés en 1941, et sans ambages, sous contrôle allemand, c'est un résistant encombrant. On s'accommode mieux d'un mort couché que d'un mort debout. On supporte de l'admirer, on peine à l'aimer.

Quarante-cinq ans après la Libération, on persiste à préférer l'esthétique du mal à la rigueur du bien, peu compatible, selon les jeunes disciples de Drieu ou de Brasillach, avec une œuvre d'ambition. En proclamant bêtement qu'on ne fait pas de bonne littérature avec de bons sentiments, Gide a perverti les esprits, induisant qu'il suffisait d'avoir bouffé du « youtre » sous l'Occupation pour partager le génie syntaxique de Céline. Enseigne pour une fin de siècle : « Au bon chic collabo ». Les archéologues s'en donnent à cœur joie. Alors que plus un pneumatique de Rebatet, plus un palimpseste de Drieu, plus une sotie de Morand, plus une facture de Sachs, plus un apophtegme de Chardonne, plus un lazzi de Guitry, plus une érection de Jouhandeau ne nous sont inconnus, on ne trouve pas, en librairie, les œuvres essentielles des poètes et des romanciers qui ont refusé de faire le voyage à Weimar ou d'applaudir, la bouche pleine, les géants priapiques d'Arno Breker. Quand ils ne sont pas relégués dans les manuels pour classes terminales, à l'instar de Camus ou de Saint-Exupéry, ils sont jetés dans l'amnésie, cette fosse commune. Je veux parler de Max Jacob et de Robert Desnos, tués respectivement à Drancy et à Terezín ; de Saint-Pol Roux, assassiné en 1940 par les nazis qui venaient de violer sa fille et de brûler sa maison ; de Jean Guéhenno, qui créa le Comité national des écrivains en 1942 et laisse des livres admirables et inconnus ; ou encore de Jean Cayrol à qui *Nuit et brouillard* doit, dans le texte et dans la chair, sa somptueuse, son insupportable douleur.

Aujourd'hui, le culte intellectuel de ceux que, grisés,

d'aucuns appellent « les parias glorieux, les forbans sublimes », et que d'autres élèvent au rang de « martyrs de l'épuration », est si bien répandu dans le Paris modianesque des belles-lettres, où les salauds sont sanctifiés et les héros méprisés, où la péremption semble valoir à la fois pour les actes passés et pour la morale, qu'on peut écrire désormais qu'il existe un lien de causalité entre les horreurs morales et la perfection des écrivains qui les soutiennent. Sans pousser jusqu'à affirmer que l'antisémitisme est un gage de talent supérieur, on soutient volontiers qu'il ne faut pas être philosémite, pour la raison qu'on ne fait pas de littérature avec de bons sentiments.

À bien y regarder, la haine détruit davantage de talents qu'elle ne produit de chefs-d'œuvre. Et, au petit jeu de la littérature comparée, cher à l'Université, je préfère, au chapitre de l'éducation intellectuelle, *Dix-huitième année* de Prévost, où passe la grâce, à *Notre avant-guerre* de Brasillach, qui sent sa propédeutique ; le *Journal des années noires* de Guéhenno aux *Deux étendards* de Rebatet ; les poèmes de Char à la prose de Sachs ; et les pages de Camus à celles de Bonnard.

Ce qui est certain, c'est qu'on ne fait peut-être pas de bonne postérité avec une belle vie. Prévost, d'ailleurs, se promettait lui-même à l'oubli. Dès 1929, dans un bref *Traité du débutant*, il rédigeait ainsi la nécrologie d'un écrivain imaginaire, indifférent à la gloire, où il voyait un « modèle selon son cœur », et auquel il rêvait déjà de ressembler : « Il mourut plein de jours, le foie encore sain, sans même se donner la peine de dire un bon mot qui lui venait aux lèvres, et que nous ne connaîtrions pas. Il ne s'inquiétait pas du sort que nos arrière-neveux feraient à ses ouvrages ; peut-être auraient-ils profit et bonheur à les connaître. Mais c'était leur affaire et non la sienne, une affaire pour laquelle il n'eût point fait deux pas. » Cette mort « plein de jours », qui ne concéda même pas aux historiens l'éclat soigné d'une épitaphe, ni aux échotiers le luxe d'un ultime calembour, le préserva du moins de la décrépitude. L'image arrêtée de l'athlète au pied du Vercors, fixant son destin droit dans les yeux, c'est son immortalité.

Quant aux lecteurs qui ont manqué Jean Prévost comme on rate un train pour les vacances, on ne les condamnera pas. On ne leur rappellera pas non plus le mot de Stendhal, dans *De l'amour* : « Rien n'est odieux aux gens médiocres comme la supériorité de l'esprit : c'est là, dans le monde de nos jours, la source de la haine. » On plaidera simplement l'hypothèse de la paresse. La plus vraisemblable. Cette œuvre, en effet, ne se donne pas, elle se gagne.

Trop d'essais, où il ne sut pas toujours se départir de la rhétorique khâgneuse, ni couper le cordon de la maïeutique normalienne, et pas assez de romans. *Les frères Bouquinquant* ne sont pas *Le Grand Meaulnes*. Pas un titre, sur la trentaine dont il est l'auteur, qui soit un maître livre. J'entends, qui rassemble aussi bien l'agrégé que la chaisière, l'adolescent que le vermeil, qui fasse « consensus ». Un mot à la mode qu'il eût d'ailleurs vomi. Prévost était un touche-à-tout brillant. Aussi vif sur Charlot que sur Sainte-Beuve. Un égotiste, également, qui aimait se battre mais, en bon antimilitariste, détestait d'être enrôlé. Il ne fut donc pas dadaïste, ni surréaliste, ni populiste, ni mystique, ni postfreudien, ni préexistentialiste, même pas gidien, mais simplement humaniste : il y avait de quoi désespérer la gloire, qui adoube d'abord les régiments, ensuite leurs officiers de réserve. La postérité réprouve qu'on ne travaille pas à la séduire. Prévost, lui, s'appliquait à être utile à ses contemporains.

Cette véritable humilité littéraire, fût-elle doublée d'une grande ambition sociale et politique, ce renoncement à la solitude flatteuse de l'écrivain ou à la légende du poète maudit, cette préférence toujours accordée au métier plutôt qu'à l'inspiration, aux exigences de la raison plutôt qu'aux hypothèses du génie, ont été fatals à l'auteur de *Merlin*. Ainsi, dans *Situations, II,* Sartre voit dans l'œuvre de Jean Prévost l'ultime production d'une littérature radicale-socialiste issue de la IIIe République, fondée sur l'amitié, la solidarité, le sport, et destinée à un public qui aurait disparu au lendemain de la Seconde Guerre mondiale : celui de la petite-bourgeoisie anticléricale, républicaine, antiraciste, individualiste, rationaliste et progressiste. L'histoire aurait volé en même temps ses lecteurs à Prévost, et ses électeurs au parti radical.

Si, en 1948, Sartre admirait qu'avec Pierre Bost, Chamson, Aveline, Beucler, Prévost eût été un authentique moraliste attaché « à montrer la part de la volonté, de la patience, de l'effort, présentant les défaillances comme des fautes et le succès comme un mérite » et qu'il se fût moins soucié des destins exceptionnels que de démontrer « qu'il est possible d'être homme même dans l'adversité », il lui reprochait d'avoir préféré servir son époque que lui-même. En vérité, il estimait qu'à Prévost, et aux siens, ces « précurseurs » décidément trop « modestes et honnêtes », il avait manqué « cette confiance absurde en leur étoile, cet orgueil inique et aveugle qui caractérisent les grands hommes ». Ce serait la raison, conclut-il, de leur « échec ».

Sur le Vercors, qui venait pourtant de métamorphoser,

trois ans plus tôt, Prévost en héros, et de prouver que, non content de « vouloir donner des règles de vie », il se les appliquait d'abord à lui-même, Sartre ne dit mot, observant un douteux silence, où devait passer le remords de ne s'être point risqué, pour l'honneur, sous le feu de l'ennemi. Sans doute le romancier des *Chemins de la liberté,* dont celui de *La Chasse du matin* partageait l'amour des héros qui échappent au déterminisme de leur créateur, eût-il pensé autrement s'il avait lu ce mot admirable écrit par Prévost, le 24 décembre 1927, à Jean Vedrune : « J'estime après Spinoza que l'essentiel n'est pas de souhaiter une continuation indéfinie d'une vie vague, mais de nous rendre assez intimes certaines choses éternelles pour jouir présentement de cette éternité. »

Prévost eût survécu à la guerre, ses souvenirs de la Résistance l'auraient rendu célèbre. On aurait loué, dans ses Mémoires, le ton magique et physique, fait d'embruns et de générosité, qu'il avait su trouver pour « Une sortie d'Hermidas Bénard », récit d'un sauvetage en mer, par gros temps. Un petit capitaine face au national-socialisme, force 10. Il serait passé à la télévision. On l'aurait supplié de raconter Saint-Exupéry, Hemingway, « et toutes ces femmes, dites, que vous avez aimées ! ». Il aurait présidé un jury littéraire, poussé tristement des chrysanthèmes sur les tombes de ses camarades, commenté les Jeux olympiques. Il aurait voté pour Maastricht, lui qui faisait le vœu, en 1940, « qu'un jour, nous et les autres Européens, puissions écouter, sans rougir de honte, les chœurs de la *Neuvième symphonie* ». On lui aurait promis l'Académie française après avoir réédité son œuvre, rassemblé ses milliers d'articles, et publié tous ses inédits : carnets, ébauches de romans, correspondance. Il aurait bravement décliné l'invitation du quai

Conti (une institution dont il méprisait assez la fonction et l'étiquette pour qu'après sa disparition, ses enfants refusent de l'y voir intronisé, à titre posthume – un mort immortel, un tué en habit vert, allons donc!). Il serait entré pour de bon dans la légende.

Somme toute, les Français boudent l'œuvre passionnante d'un auteur qui a eu le mauvais goût de mourir pour eux.

Le pugiliste

Il a le râble épais, une mâchoire de Viking, l'œil bleu, et, sous la chevelure blonde, un front taurin cherchant sans répit la muleta. Au physique : un petit homme plein de sève. Un mètre soixante-quatorze de muscles tendus vers l'absolu. Jean Prévost aime se battre. Contre le temps, d'abord, qu'il sait compté. Quarante-trois ans pour faire une œuvre, et donner sens à sa vie, c'est court. Le miracle fait que cette prescience devient une manière de philosophie, celle qu'on n'apprend pas dans les livres mais au grand air : sacrifier à l'action les atermoiements des indécis, travailler sans répit à être utile. Il ne suffit pas de penser qu'on va échapper à la déchéance pour grandir sans vieillir, il faut pouvoir faire durer, en soi, la rage de l'enfance, et briller sa lumière. Aller vite, aimer vite, créer vite, et bien se garder, comme d'une maladie, de se retourner. Les jeunes morts sont des fonceurs dont la vie claque comme l'éclair : il annonce la foudre.

Si, à la demande de Gallimard, Prévost écrit une *Vie de Montaigne* en une nuit et la dicte en deux jours et demi, ce n'est pas seulement que le tout jeune homme vénère l'auteur des *Essais*, et qu'il lui plaît ainsi de faire exister et périr un maître en soixante heures, c'est aussi qu'il veut mesurer, dans le vif, sa propre puissance : faire un bon

26

livre au galop, penser sans rêvasser, exiger du corps qu'il suive, jusqu'à l'épuisement, les efforts de l'intellect, voilà le pari, voilà l'écrivain. On a compris que ce portrait coruscant de Montaigne en cache un autre : celui d'un garçon qui tient du gentilhomme bordelais que « la préméditation de la mort est préméditation de la liberté ». Dans le Vercors, à la tête de ses maquisards, Prévost continuera de se battre arme au poing, couteau Mongin dans la poche et, dans son sac tyrolien, le manuscrit inachevé de son *Baudelaire*, ainsi qu'une machine à écrire portative. L'image n'est pas d'Épinal. Elle illustre une vieille terreur de khâgneux stendhalien menacé par l'obésité : que l'intelligence œuvre en célibataire, qu'elle soit coupée du corps dont elle se nourrit, et inversement.

Quand, le 1ᵉʳ octobre 1943, Claude Mauriac, qui se plaint alors d'être « un écartelé perpétuel » et craint d'être considéré comme « un masturbateur de l'introspection », rencontre Jean Prévost (alors en mission à Paris pour la Résistance) au Café de Flore, c'est pour s'entendre dire : « Si j'ai choisi de m'engager et d'assumer tous les risques de l'action, c'est par dignité personnelle et parce que mon propre honneur l'exigeait. Et aussi parce que je suis persuadé qu'un homme n'a le droit de parler, d'écrire, de vivre qu'autant qu'il a connu et accepté, un certain nombre de fois dans son existence, le danger de mort. Ce Thierry Maulnier que voilà (il venait d'entrer dans le café ; à une table voisine travaillait Jean-Paul Sartre) a eu le ridicule de tenir à *L'Action française* une rubrique militaire, lui qui ne fut même pas soldat ! Or un écrivain ne doit traiter que de ce qu'il connaît par l'intérieur : de l'amour, s'il a baisé beaucoup de femmes – mais qu'importe l'amour ! Pour avoir le droit d'aborder les plus graves sujets, il faut avoir vécu l'expérience que je vis... »

Prévost, en effet, abhorre les littérateurs en chambre

qui jugent le monde avec des mains de prélat palatin, lavées et poncées pour bénir, et non construire. Il se méfie des talents inutiles et des prouesses sans but. Toute sa vie, il s'étonne que, chez autrui, les facultés intellectuelles ne se doublent pas de solides vertus physiques – les unes et les autres s'harmonisant comme les couleurs d'une aquarelle. Dès *Tentative de solitude*, en 1925, il raille les prétentions à la sagesse de l'anachorète, et conclut : « L'originalité de l'esprit, c'est de subir et de représenter le monde, et un corps dans ce monde, d'une façon particulière et unique, mais il n'y a rien à considérer de l'intérieur – pas même le doute ou le reniement de lui-même. »

D'avoir été trop jeune de quelques saisons pour bouter l'Allemand pendant la Première Guerre mondiale, lui a longtemps donné, non pas le goût de la revanche mais le regret de l'exploit, et la faculté d'admirer ceux, parmi les écrivains, qui étaient montés au front. Notamment Drieu et Péguy, fauché en 1914 dans les seigles de Villeroy. Péguy qui écrivait : « Il manque aux dieux hommes ce qu'il y a peut-être de plus grand dans le monde; et de plus beau; et de plus grand et de plus beau dans Homère : d'être tranché dans sa fleur; de périr inachevé; de mourir jeune dans un combat militaire. »

Périr inachevé : je ne vois pas plus juste et plus amère épitaphe pour l'auteur de *L'Art de vivre* qui, dès 1940, souhaitait que sa poussière s'envolât au vent. Selon Prévost, le courage s'ajoute à l'intelligence, et il la mesure à l'aune de cette hypothèse quotidienne : la mort. À dix-sept ans, réfugié avec ses parents dans le village de Saint-Fargeau, Yonne, tandis que le canon tonne dans la campagne de l'été 1918, cet adolescent impatient fulmine contre sa jeunesse inutile et enrage de ne pouvoir répondre à la seule question qui lui importe : « Serais-je couard sous le feu? »

C'est dans cette période où il ronge son frein, où il malmène son dépit dans un corps trop chaud, où il se défie lui-même, qu'il conçoit, puis développe, une aversion tenace pour les planqués de l'Histoire. En 1918, c'étaient les quinquagénaires de « l'arrière », les professeurs qui enseignaient plutôt que de se battre, et les vieux écrivains qui, tel Anatole France, rêvaient de plaire à la jeunesse sans comprendre qu'elle réclamait du cran, du sang, et de l'épate. Et après la guerre, ce sont ces birbes moralisateurs qui, à la façon de Paul Deschanel le jour de l'armistice, proclament devant une foule d'exemptés que, à bien considérer, le sang des morts avait « rajeuni la terre ».

Étrangement, cet intellectuel qui exulte dans l'action est un pacifiste invétéré. Mais son caractère est d'un pugiliste. Prompt à donner des coups. Adorant en découdre. À la question : « Quel est selon vous l'idéal du bonheur ? », il répond en 1935 : « L'anarchie en tout. » Dans tous les romans de Prévost, de *Merlin* aux *Bouquinquant*, du *Sel sur la plaie* à *La Chasse du matin*, les personnages en viennent chaque fois aux mains, s'affrontent sur des rings de fortune, et parfois se tuent : leurs destinées obéissent plus aux lois de la physique élémentaire qu'aux décrets de l'esprit, amendés par la Raison. Ce sont des livres qui ont la chair à vif, où pèse l'empire des sens, et qui progressent comme un coureur cycliste en montagne : ahanant, entêté, exsudant de la fureur sous un soleil justicier. Ici, la nature gagne sur la culture par K.O., dans la poussière ensanglantée des duels animaux, des rixes ancestrales. Chez Mauriac, on fixe et craint l'œil de Caïn. Chez Prévost, son antithèse, on guette toujours l'œil au beurre noir. Au roman psychologique de son temps, Prévost n'a eu de cesse d'opposer le roman pugilistique.

Ce n'est pas de la stratégie, c'est son tempérament. Il

tient en effet l'insolence pour la plus admirable vertu et l'ours pour son animal préféré. D'Alain, qu'il eut pour professeur et dont il admira d'emblée « le plaisir d'inventer », « les improvisations », et la leçon inaugurale sur l'« Ode à Plancus » d'Horace, il fut sans doute le plus irrespectueux des disciples. La première fois qu'il vit apparaître au lycée Henri-IV celui dont il dira ensuite que jamais il ne déçut ses espérances démesurées d'adolescent, il fut frappé par ses mains énormes, son gros nez, sa moustache dure, son chapeau mou : bref, tout de « l'officier de dragons ». Il s'appliqua autant à le charmer qu'à lui désobéir – ce n'est, au reste, qu'une manière plus savante de séduire.

Ainsi, quand le khâgneux Prévost s'engage dans les Étudiants Socialistes Révolutionnaires, il ne lui déplaît pas d'être infidèle au précepte de Chartier, lequel préférait l'injustice au désordre et prescrivait de toujours séparer l'opinion de l'action. Plus tard, en 1926, Alain publie, sous le titre *Le Citoyen contre les pouvoirs*, un recueil de quatre-vingts propos choisis par Jean Prévost. Le maître sort épuisé de cette collaboration et prend soin de préciser, dans une dédicace à sa tante Monique : « Nos entretiens furent toujours rudes et même brutaux ; lui, tout en gardant sa place d'élève, se défendait avec toutes ses forces. On sent cette violence partout dans ce recueil. »

À vingt-cinq ans, le futur maquisard fait déjà de la résistance. Elle n'est alors qu'intellectuelle. Mais le jeune opiniâtre ne cède jamais. Alain s'installe-t-il dans son combisme intégral que Prévost lui oppose l'économie socialiste. Alain doute-t-il des vertus du métal et du ciment armé que Prévost prône l'architecture moderne. Alain méprise-t-il le cinéma que Prévost plaide haut et fort l'art de l'écran, l'art de demain. Alain invoque-t-il

Descartes que Prévost brandit son Spinoza. L'insolent reproche aussi à son professeur, et à juste titre, de préférer Balzac à Flaubert. Il ira même, dans *La N.R.F.* de septembre 1924, jusqu'à rendre compte des « Propos sur le christianisme » en regrettant « l'ankylose de la syntaxe et l'hypertrophie du substantif » qui, selon lui, « raidissent » leur auteur, lequel en perd sa pédagogie.

Quand, en 1944, installé dans sa villa du Vésinet, Alain apprend la disparition de Prévost, il note aussitôt dans son journal : « Je ne crois pas aisément qu'un tel être soit mort. C'était, comme nous le disions, un petit taureau. Il bondissait sur l'idée. Réfléchir n'était pas son affaire. Il n'était point fait pour la politique, laquelle par essence transige toujours. » Bel hommage du coryphée vieillissant à l'impertinent qu'il croyait initier au quiétisme et qu'il forma, contre son gré, à la contradiction, puis à l'obstination. C'est que, puissant et irritable, le taureau fonce, mais ne se retourne pas.

Peut-être Alain pensait-il à son élève assassiné lorsque, en 1948, il écrivit de Stendhal, qui fut leur passion commune et leur exigeant modèle : « C'est une grande âme, qui a tout pesé, et qui a une avance de mépris, avance inépuisable... On craint cette présence ; on craint ce juge ; on ne l'aime que mort, et dans le secret de la lecture. »

Dans le Paris bourgeois de l'entre-deux-guerres, Prévost s'est fait une redoutable renommée de mal élevé. « La première fois que Claude Van Biéma l'a rencontré à un bal de l'École normale, avoue sa fille Martine, il lui a dit qu'elle était mal poudrée, elle l'a traité de mufle ! » Tous les témoignages concordent : l'homme gagne à ne pas être fréquenté, l'animal ne saurait être domestiqué. Où qu'il aille, sa mauvaise réputation le précède. Il la tient méchamment en laisse. On s'écarte à son passage : un accident est si vite arrivé.

Il déteste les chiens (il leur envoyait parfois des cailloux!), mais adore mordre. Chaque fois qu'on parle de lui, constate Martin du Gard, c'est pour citer « une rebuffade, un mot amer, un coup de dents ». Le jour du mariage de Pierre Lazareff avec Hélène Gordon, il lâche ce mot célèbre : « La mouche du coche est entrée dans la couche du moche. » Dans *La N.R.F.* de 1928, il brocarde Louis Aragon, un « imposteur » dont « la nouvelle morale se réduit, écrit-il, à ne pas mettre ses actes en harmonie avec ses paroles ». Toujours dans *La N.R.F.* - cette fois en mai 1929 -, il profite d'avoir à rendre compte de *Mort de la morale bourgeoise* pour accabler Emmanuel Berl - un « amateur distingué » dont il juge le style « lourd » - des pires intentions : « M. Berl ne semble nullement tenir pour le but essentiel de la révolution un accroissement du bien-être des prolétaires. (...) Il faut que la révolution apporte le bien-être à ceux qui la font, ou alors il ne faut pas la faire. (...) Quant à prendre Sade pour le type extrême du révolutionnaire, ni le prolétariat, ni personne, je pense, ne prendra cela au sérieux. Qui pense confusément écrit mal. » Et dans le célèbre numéro de *Confluences*, consacré en 1942 aux « Problèmes du roman », il traite Giono de « petit Tolstoï de plâtre sur les monts de Provence ».

Jean Prévost est fidèle en inimitiés. Ce n'est pas seulement qu'il a des principes, et qu'il s'y tient, c'est aussi qu'il a l'odorat très développé. Race : critique de chasse. Quand Céline publie *L'Église* en 1933, la gauche bon teint applaudit une pièce où est brocardée la Société des Nations et s'amuse du ballet que jouent Yudenzweck et Mosaïc. Dans *Commune*, Aragon, fraternel, attend même

Céline « du côté des exploités, et non des exploiteurs ». Seul Jean Prévost, nez sensible, hume le remugle. Le 4 octobre 1933, dans *Notre temps*, il écrit : « Cet aboiement de mauvaise humeur contre tout, qui a enchanté certains révolutionnaires, les décevra en même temps. Il contient, par exemple, une bonne dose d'antisémitisme. (...) Dans la S.D.N. de M. Céline, les directeurs du service des compromis, les directeurs des affaires transitoires, des services des indiscrétions, tous juifs de quarante-cinq ans, m'ont bien l'air en effet d'être nés tout au début de l'affaire Dreyfus dans l'imagination populaire (...). On s'est étonné de voir M. Léon Daudet aimer le livre de Céline, il aimera sans doute celui-ci dont une part semble écrite sur ses conseils. » Quelques années plus tard, à *L'Intransigeant*, il chasse de son bureau, d'un coup de pied dans le derrière, le collabo Alain Laubreaux, pilier de *Je suis partout*, en précisant, comme s'il voulait rectifier après coup la trajectoire d'un ballon : « En fait, vous avez la figure en forme de cul : j'aurais dû vous botter la gueule. » Les exemples de ce tempérament soupe au lait abondent.

Si Jean Prévost s'adonne si passionnément au sport, c'est non seulement pour malmener une timidité atavique, mais aussi pour canaliser cette force qui est en lui, ce « trop-plein » dont il ne sait comment user et qui faisait dire à Lucien Leuwen, la veille d'aller au régiment : « Il faut me méfier de mes premiers mouvements ; réellement, je ne suis sûr de rien sur mon compte ; j'ai besoin d'agir et beaucoup. »

Enfant, il galope dans les bois, casse des branches avec ses dents, se roule dans l'herbe, fait des acrobaties à bicyclette, tutoie d'un air crâne le grand ciel pommelé de Normandie. Relire le joli et très évocateur début de *Merlin*, qui scandalisa tant les calotins du Cartel des gauches :

« Déjà réchauffé par la marche, Merlin voulut se décharger le ventre ; il choisit le coin d'un pré, près d'un talus, sous de hauts peupliers. Au moment où il ôta ses bretelles, il vit le soleil atteindre et diaprer la rosée ; le premier rayon chauffait doucement, comme une haleine. Laissant son ombre immense se déculotter derrière lui, il se tourna vers l'aurore, et se baissa. Caressé par l'herbe fraîche, il se soulagea d'un doux et copieux effort. Il tassait dans ses mains un épais tampon d'herbes molles et de fleurs, qu'il secouait pour les égoutter (...) Il se sentait tranquille, il croyait faire une confidence à la nature. »

Adolescent, il multiplie les « amours rustiques ou vénales », dévore les paysannes dans les gerbes d'avoine et renverse les servantes sur des lits de fortune. Interne au lycée Henri-IV, où ses rêves de bravoure lui font escalader la tour Clovis par le paratonnerre, il est en manque de contusions, de chlorophylle, et de panthéisme. À cette nostalgie de la nature s'ajoutent, au seuil de la Belle Époque, la rage et la douleur de se sentir humilié dans les quartiers riches de la grande ville qu'il arpente, tel Merlin, en somnambule pataud : « Il errait dans les rues, chauffé par le bitume, lassé par les pavés, les pieds tracassés dans des souliers trop courts. Les belles boutiques (des tailleurs surtout, des chapeliers et des coiffeurs), que de pavés il aurait souhaité jeter dans leurs vitres, lui pauvre petit ourson mal léché, que ses orteils meurtris faisaient dandiner du derrière ! » Au contraire, dans les arrondissements populaires, Merlin promène sa vague liberté « sans haine et sans honte ». Au point de savoir gré aux putains de saluer, d'une voix câline, sa jeune braguette.

À son héros romanesque de 1927, Jean Prévost a prêté ses propres mortifications de 1918, quand le potache suant au soleil sous son vieux pardessus d'hiver croisait, sur les Champs-Élysées et sur l'avenue du Bois, l'indifférence des « beaux passants ». Son orgueil neuf, son ambition étriquée, ses désirs d'enfant pauvre se transformaient soudain en haine, une haine pleine de larmes gamines, à la vue des jeunes gens élégants : « Sans rien mériter de leur travail, si faibles que leur cervelle aurait éclaté sous mon poing; donc pourquoi eux et pas moi ? » Ce besoin de crever quelques panses et de cracher sur des femmes parées, Prévost l'a longtemps promené dans ces quartiers riches où il « alimentait ses rages », faute de savoir comment répondre à l'arme la plus terrible dont use d'ordinaire le bourgeois contre les jeunes factieux : l'indulgence. Et puis le temps a passé, mais il lui est toujours resté, dans son comportement social, le souvenir de cette blessure d'amour-propre qu'on appelle pompeusement, à dix-sept ans, de l'indignité.

À cet âge-là, tout est prétexte à la contestation. Chez Prévost, c'est d'abord de la révolte physique. Son frère cadet, Pierre, plus fragile, moins sanguin, le suppliait souvent de « rentrer à la maison » les jours de manifestations et s'inquiétait de son « air résolu ». Mais Jean n'écoutait pas les prudences de Pierre. Il les trouvait même de mauvais goût. Le lundi 11 novembre, jour de l'Armistice, défilant dans la liesse boulevard Saint-Michel, il offre sa protection rapprochée à deux jeunes filles en fleur qui lui semblent gênées par les accolades voyoutes des garçons excités. Passe un gaillard, qui pince la taille de la plus jolie des deux. Prévost l'alpague méchamment, lui donne un violent coup de tête dans le bas du visage; il s'écroule sur le pavé. « Presque tous les sentiments forts, et même les plus purs, me donnent envie de taper », avoue-t-il, en guise d'excuse, aux deux jeunes filles affolées qu'on pût cogner un Français, « un

35

jour pareil!». Manifestant un peu plus tard contre l'acquittement de l'assassin de Jaurès, il se fait tabasser par la police : «Empoignez-le, celui-là : c'est un bon!» Des clés de jiu-jitsu ont raison de l'insoumis qui va découvrir par la suite que, dans ce pays, l'on peut simultanément intégrer l'École normale supérieure et être poursuivi par la justice.

Pour comprendre comment cet homme a écrit une trentaine de livres et des milliers d'articles en moins de vingt ans, aimé tant de femmes, pratiqué si bien de multiples sports, abordé dans son œuvre tant de sujets différents, des plus limpides aux plus ardus, tenté d'enseigner le saut en hauteur aux adeptes vermoulus des Décades de Pontigny, et frappé brutalement de la tête les tuyaux en fer de l'élégante librairie de Silvia Beach, il faut donc en revenir au personnage herculéen pour qui chaque jour est l'occasion d'un nouveau défi, d'un combat à gagner, d'une mission à remplir, d'une fièvre à dominer. En 1926, Maria Van Rysselberghe, alias la Petite Dame, observait avec circonspection ce « cerveau clair, ardent, neuf, décompliqué de nuances ». J'aime bien, concernant Prévost, ce « décompliqué »-là.

Peu lui chaut de paraître brutal, le garçon n'a ni le goût ni le temps d'être poli. « Une grosse tête indomptable », dit l'élégant Nimier, fasciné par ce titan inapte à porter le smoking. « Je retrouve auprès de lui, note Claude Mauriac dans son *Journal* de 1938, cette habituelle impression d'écrasement. Une érudition si brillante me rend conscience de ma pauvreté. » Si Prévost débarque chez des amis, c'est sans s'inquiéter de savoir s'il dérange. S'il en reçoit chez lui, le malotru ne se préoccupe de les accueillir qu'après avoir égoïstement, et sous leurs yeux, terminé son travail. Si des invités lui déplaisent ou l'ennuient, il quitte la table sans mot dire, et se met à lire sous les yeux des importuns, sidérés. Dans la conversation, il ne lui déplaît pas de crier, de grimacer, de provoquer, de scandaliser. Cet apparent Fregoli veut être aimé pour ce qu'il est. Et s'amuse à être détesté pour une qualité première qu'il n'a jamais pu assujettir : la franchise. Ainsi avoue-t-il, dans *La N.R.F.* d'août 1928, qu'il n'est pas allé voir la nouvelle pièce de Marcel Achard, préférant la lire. La raison ? La phobie du parterre et du protocole mondain qui préside à une générale, où il faut lire aussi le souvenir gêné du jeune provincial désargenté qui, aux thés du mercredi, chez Jacques Rivière, se collait aux murs pour qu'on ne remarquât point son pantalon percé. Jean Prévost ne décolère pas à l'idée – la menace ! – de « garder un gilet, un col dur, un veston sur un fauteuil », mais aussi « d'être entassé avec bien des personnes qui ne sortent pas toutes du bain », et enfin « d'avoir pour toute ressource des entractes où l'on ne respire pas, parce que les fumeurs y fument furieusement ». Ce n'est plus de la critique, c'est le courroux d'Alceste !

Trop ostentatoire, cette santé physique et morale indispose les pharisiens grêles qui prennent sa sincérité pour de la cuistrerie et sa culture pour de la pédanterie. À une époque où les écrivains ont de l'entregent et travaillent à faire carrière, Jean Prévost, ce Cauchois de Paris, compte beaucoup d'ennemis. À commencer par Gide, contre qui Renan et Nietzsche l'avaient vacciné, et dont il raille à la fois les incessantes palinodies, l'hypocrite calvinisme, et la pédérastie. Il compare *Les Nourritures terrestres* à des « loukoums » et diagnostique de l'« asthme » dans sa poésie. L'impudent gratifie même le célèbre écrivain d'une épigramme assassine : « *Avec un peu trop de faste / Monsieur Si le grain ne meurt / Se proclame pédé-*

raste : / *Ce n'est qu'un petit branleur.*» En représailles, André Gide, dans son *Journal*, reproche à «J.P.» sa hargne et son «insupportable manie de vouloir toujours paraître plus intelligent, plus instruit, mieux équilibré, que celui dont il parle – que ce soit Pascal, ou Descartes, ou Dostoïevski». Gide n'a guère apprécié l'article pourtant élogieux que, dans l'*Hommage collectif* publié en 1928 par les éditions du Capitole, Jean Prévost, alors de trente ans son cadet, a eu le front de donner. Tout en admirant, chez Gide, les vertus du créateur, Prévost a l'audace de signaler ce qui, selon lui, fait défaut à celui qui «eût pu être le plus grand des critiques français» et de désigner ses lacunes : «Gide connaît mal le grec et l'hellénisme. Homère, Eschyle, Pindare, il n'a pu boire directement à ces grandes sources naturelles. Il les respecte, il les admire, on ne l'en a pas nourri.» Et plus loin : « Je crois qu'il est resté impropre à goûter les grands philosophes, à admirer, non plus leurs trouvailles, leurs sentences et leurs élans, mais le système.»

Prévost a de l'estime pour Gide, mais pas une once de sympathie. Gide a de la curiosité zoologique pour ce jeune animal savant qu'est Prévost, mais, dès lors qu'il n'est point parvenu à le domestiquer, déteste sa sauvagerie. Un matin de 1929, attablé aux Deux-Magots, Jean Prévost aperçoit Gide et l'invite à boire un café. Le geste amical tourne aussitôt au bras de fer. Retour chez lui, exaspéré, Gide note la rencontre dans ses carnets, où il soutient que Prévost a besoin de s'opposer à lui, «de toute sa santé, de toute sa mémoire, de ses haines entières et non assouplies, et de son intransigeance enfantine, qui devient de moins en moins plaisante depuis qu'il a cessé d'être un enfant». En somme, l'auteur des *Nourritures terrestres* fut le punching-ball de Prévost.

Avec Roger Martin du Gard, l'un des parrains littéraires de Marcelle Auclair et le dédicataire de *Dix-huitième année* que Prévost connut à Pontigny, les rapports sont plus tendres, mais tout aussi compliqués. D'abord séduit, l'auteur des *Thibault* est vite agacé par les « turbulences », les « brusqueries », les « fautes de mesure » de son « cher ami » et n'a de cesse de l'appeler à plus de réserve, de douceur, d'équanimité. En 1927, il aime « l'allant » de *Merlin*, « sa langue drue », mais c'est pour ajouter aussitôt, l'air pincé, qu'il juge « curieux d'être à ce point obsédé par le pipi et le caca !! ». En 1930, dans une lettre adressée directement à Marcelle Auclair, il se plaint des frasques de Prévost à Pontigny et la prie d'intervenir afin que, dans les discussions, son mari soit désormais moins acerbe et surtout moins « irrespectueux » ; il menace même de fermer les Décades aux deux « petits Prévost » s'ils devaient persister à ruer dans les brancards et à « secouer cavalièrement sur la grave assemblée la poussière de leurs sandales Kneipp ». Dans un post-scriptum, Martin du Gard exprime sa propre conception de la vie sociale : « Je crois qu'on peut devenir mesuré et sage, sans rien perdre de sa vraie valeur. »

Jamais Prévost ne souscrira à cette morale du compromis ; il en est bien incapable. Dans une lettre de mai 1940, Roger Martin du Gard continue d'épingler ses « attitudes hargneuses, méfiantes, blessantes, certains éclats de vanité, (son) irrespect pour tout et tous », en lui notifiant : « Vous ne vous rendez pas assez compte de ce que vous pouvez être... infumable ! » Il l'enjoint même de renoncer à ses révoltes, au prétexte que ce serait « gâcher à plaisir une situation sociale et littéraire qui pourrait s'épanouir dans la sociabilité ». Un argument qui, sur le paillasson de la débâcle, a dû bien faire sourire Jean Prévost, si peu sensible qu'il était à l'idée de « situation », et si peu enclin au panurgisme intellectuel. Ne manqua-t-il pas à vingt-neuf ans le prix Goncourt pour ses *Frères Bouquinquant*, parce que les académiciens ayant aimé le roman jugeaient néanmoins l'écrivain « dangereux » ?

Mais l'humour de Martin du Gard devient noir quand, dans cette même lettre, il gage que « la coupure de la guerre » devrait l'aider à « jeter ce vilain masque à dents pointues et à sourire sans rosserie ». Le vétéran de *La N.R.F.*, tout confit dans sa pieuse gentillesse et très fier de ses admonestations grand-paternelles, ignorait que, mieux formé que ses pairs aux pugilats parisiens et entraîné aux joutes de Pontigny, le jeune irréductible serait héroïque dans le maquis du Vercors. Ses rapports furent souvent plus francs et profonds avec ses compagnons les moins cultivés de la Résistance qu'avec ses pairs, ou soi-disant tels, de l'intelligentsia. C'est que Prévost n'avait jamais réussi à appliquer dans sa propre vie, ni souhaité en user, la stratégie que Stendhal avait confiée, comme une prophylaxie, à sa sœur Pauline : « Il faut jouir de soi-même dans la solitude, et, à l'égard de ses amis, ne dévoiler ses pensées qu'à mesure de l'esprit qu'on leur trouve ; autrement, on court le danger de leur paraître supérieur ; de ce moment, on est perdu. »

Comme en philosophie et en politique, il a besoin d'affronter, à l'escrime ou à la boxe, un contradicteur, et le faire céder. C'est le même Prévost qui frappe Hemingway sur un ring et qui provoque Jouhandeau sur le papier : il gagne par knock-out. L'auteur de *Chaminadour*, faut-il le rappeler, était en 1941 du voyage ferroviaire à Weimar, première classe, organisé par le lieutenant Gerhart Heller dont, à la vérité, il convoitait davantage le corps que les idées. Avec Brasillach, Bonnard, Drieu et quelques autres lèche-bottes, il admire outre-Rhin « un grand peuple à l'œuvre, tellement calme dans son labeur qu'on ignorerait qu'il est en guerre ». Prévost prend son plus beau gant de boxe et envoie une lettre à Jouhandeau : « Imaginez que je vous croyais chrétien ! (...) Comme je me trompais ! Avec quelle vigueur, avec quelle âcreté, vous crachez sur le Christ et sur ses paroles essentielles : " Tu ne jugeras point ", et " aimez-vous les uns les autres... " Avec quel entrain vous jetez votre pierre à la seule race persécutée et lapidée qui reste dans le monde... Je suis " aryen " bien plus que vous, mon cher Jouhandeau, bien plus proche que vous de ce type de fortes brutes blondes à qui les antisémites veulent donner le royaume de ce monde. » Une lettre d'autant plus admirable dans sa dialectique offensive que non seulement Prévost ne pose pas en antigermaniste primaire, mais qu'il a en outre l'intelligence, lui si peu catholique, de renvoyer le dévot Jouhandeau aux textes saints, et à eux seuls.

Peut-être ses contemporains, qui lui ont survécu, ont-ils donc fait payer aussi à Jean Prévost ses comportements crânes de l'entre-deux-guerres. En éradiquant dans les années cinquante son œuvre des anthologies, en s'ingéniant à honorer davantage le capitaine Goderville que l'écrivain de *La Chasse du matin*, en laissant disparaître ses livres les uns après les autres dans les librairies et l'indifférence, c'est l'insolent qu'on faisait taire *post mortem*, le caractériel qu'on étouffait une dernière fois.

Il s'en est fallu de peu, finalement, que Prévost ne connût le sort de Jean-François de Bastide, l'un des plus prolifiques auteurs du XVIIIe siècle. Bastide était conteur, mémorialiste, poète, dramaturge, romancier, moraliste, mais surtout intraitable critique. Il étrillait les notables dans les gazettes du temps. Palissot, Marmontel, Sabatier de Castres, et quelques autres revanchards, le réduisirent à un simple « scribouilleur », un polygraphe superficiel. L'auteur de *La Petite Maison* – ce joyau de la littérature libertine où la délicatesse de la stratégie amoureuse le dispute à la minutieuse peinture de l'architecture intérieure au temps de Louis XV – suscita de son vivant une animosité qui préluda à son oubli, où son œuvre croupit encore, deux siècles après sa mort. Pas davantage que Bastide, Prévost n'eut l'heur de plaire aux gestionnaires de l'histoire littéraire, aux comptables de la postérité. Et l'on ne saurait ici se priver de citer l'*Histoire de la littérature* de M. Pierre de Boisdeffre, à côté duquel MM. Lagarde et Michard figurent les Pierre et Marie Curie du manuel scolaire.

Rappelons, sans s'attarder, que M. de Boisdeffre, énarque reconverti dans la carrière des lettres, ambassadeur de France, et auteur d'un roman au titre prémonitoire : *L'Amour et l'Ennui*, ne doit de s'être rendu célèbre dans les années soixante que pour avoir pourfendu les auteurs du Nouveau Roman. Une attitude d'autant plus étrange que l'homme, adepte d'une prose glaciale comme du Vivagel, applique à ce dont il parle les qualités d'Alain Robbe-Grillet, célèbre ingénieur agronome qui s'obstine depuis une trentaine d'années à calculer la distance focale qui sépare après dix-huit heures, et sous abri, un individu de sexe indéterminé de la table en osier sur laquelle une cafetière blanche à moitié pleine exerce un poids certain.

Mettons qu'avec Pierre de Boisdeffre, la cafetière représente la littérature. Et passons sur le fait que deux seules petites pages soient consacrées à Prévost dans une Histoire qui en compte deux mille cinq cents (où le personnage s'autocite sur plus de quarante pages!). D'emblée,

M. de Boisdeffre juge « l'œuvre de Jean Prévost moins belle, moins significative que sa vie ». On imagine qu'il ne l'a guère fréquentée. N'empêche : s'il la trouve « abondante et variée », il regrette que « le sceau de la nécessité lui fasse défaut ». On voit par là qu'il n'a pas lu Prévost à qui l'on pourrait justement reprocher de s'être trop soucié d'être utile à ses contemporains ; d'avoir sacrifié le farniente à la nécessité. Bref, de ne s'être point préféré. Mais vient la suite, édifiante. M. de Boisdeffre estime que Prévost est « plus habile à briller » qu'à développer « une action morale ». Pas de chance : il détestait cette habileté-là, dont il était d'ailleurs incapable, et mena sa vie, comme son œuvre, vers cette vraie « morale » (celle qui se moque de la morale) dont M. de Boisdeffre ne doit connaître que l'acception figée qu'on en donne à Sciences-Po, section service public. Est-ce tout ? Non. M. de Boisdeffre fait de Prévost non seulement un membre du parti communiste mais aussi un écrivain « populiste » parce que, dans ces romans et nouvelles, il a montré « de l'affection pour les gens du peuple ». C'est ajouter l'ânerie à l'inexactitude. Car Prévost n'a jamais été communiste, ni même compagnon de route ; et ce disciple de Stendhal, qui fuyait les chapelles littéraires – y compris la famille « populiste » –, ne cherchait dans ses livres qu'à être fidèle à ceux dont il était le peintre naturaliste. Il est stupide de distinguer le Prévost qui excelle à portraiturer les mariniers, les forgerons, ou les mécaniciens dans ses romans, de celui qui immortalise les sportifs dans *Plaisirs*, les khâgneux dans *Dix-huitième année*, les scientifiques américains dans *Usonie*, ou Hérault de Séchelles et Sainte-Beuve dans *Les Épicuriens français*.

L'on a compris qu'on ne s'attarderait pas sur le cas de M. de Boisdeffre, s'il n'était, par ses erreurs grossières, sa légèreté de diplomate et son incompétence professionnelle, à l'image d'une corporation de croque-morts qui s'est débarrassée de Prévost tel un cercueil encombrant : en l'abandonnant sur les bas-côtés de l'Histoire. Rejeté de la plupart des dictionnaires contemporains, ou expédié dans le paragraphe giratoire consacré à « la Résistance », Jean Prévost erre comme un lémure dans la mémoire des hommes dont il rêvait d'exprimer le bonheur et la grandeur. Du moins s'est-il battu, jusqu'au bout, dans cette illusion et pour cette chimère.

La politique
est un humanisme

Tant de force, une telle pugnacité, et cette ferveur de chaque instant, pour exprimer la haine de toute haine, c'est donc Jean Prévost! Sa puissance physique et intellectuelle, il la met au service de l'équilibre, de la retenue, et de la lucidité. Il aime à répéter qu'il défend violemment des idées modérées. Il n'ignore pas que cette attitude lui vaudra des ennemis, et qu'il n'en tirera ni profit ni gloire. Il y a chez lui du Phocion, à la fois orateur et général, partisan de la paix et vaillant soldat, aristocrate et démocrate. En guise de ciguë : l'ingratitude et l'oubli. Si Prévost avait vécu après la guerre, on peut gager qu'il eût incarné, en politique, un centrisme offensif. À voir pousser aujourd'hui, au milieu de l'hémicycle, quelques légumes mous, on mesure la perte du farouche progressiste.

Poursuivant l'idéal de Jaurès quatre ans après son assassinat, soutien actif dans les années trente d'un député socialiste de l'Indre, M. Pierre Renaudel (dont il courtisa en outre sa fille, qui l'éconduisit, après quoi le militant amoureux tenta de se suicider dans l'unique baignoire de la rue d'Ulm), Jean Prévost s'est toujours gardé des extrêmes, qu'ils fussent de droite ou de gauche – fors un bref séjour chez les Étudiants Socialistes Révolutionnaires. Ni doriotiste ni communisant, l'auteur des *Caractères* est un radical bon teint, doublé d'un individualiste beyliste. Un irrécupérable, somme toute. Il naît à la politique dans sa dix-huitième année, celle du traité de Versailles et de l'acquittement de Villain. Il trouve « absurde » qu'au sortir de la guerre l'Allemagne soit réduite à la misère et dangereux pour l'avenir qu'elle soit condamnée à l'opprobre international. Et il juge « monstrueux » que le meurtrier de Jaurès ait, grâce à son crime, échappé successivement à la mobilisation, puis à la misère de l'après-guerre, enfin à la justice. Contempteur d'un traité de victoire qui désavoue la paix et de tribunaux qui proclament qu'un assassinat n'est donc pas un crime, Prévost se forge, très tôt, une idéologie personnelle de cogneur et de sceptique. Il ne supporte pas, à l'âge des plus belles illusions, de voir s'écrouler ses rêves d'un nouvel ordre mondial fondé sur une paix durable et une meilleure justice, son espérance d'une société internationale qui eût tiré, de la guerre, une leçon de fraternité plutôt qu'un bilan de failli.

L'homme, en vérité, doute des vertus de tout système étatique prétendant à la philanthropie : « Qui se donne la mission de faire le bien des autres est déjà presque un assassin. » Il pense que, dans une démocratie, le rôle des citoyens est de participer constamment à la chose publique et que la fonction des élus n'est pas de gouverner mais de savoir choisir les meilleurs des hommes qui agissent : ingénieurs, techniciens, diplomates, généraux. Il croit à la compétence, c'est-à-dire à la compétition loyale, pas au pouvoir, qui crée les castes, favorise les prébendes, et inaugure la schizophrénie politique. « Ceux qu'on appelle les libéraux, écrit-il dans *Europe* en janvier 1927, ne pensent qu'à créer des élites et à les organiser. Toute élite organisée et favorisée est une collection d'imbéciles; l'homme supérieur n'a besoin que des droits de tout le monde, des ressources de tout le monde pour dépasser les autres.» Précédant Jean-François Revel, il se méfie de la propension des présidents de la République à l'absolutisme régalien, des ministres à perdre le contact de la réalité. Avec Platon, il craint que l'homme tyrannique ne naisse de l'homme démocratique.

Partisan du Front populaire et de l'intervention en Espagne, antimunichois, puis résistant, Prévost n'est finalement sorti de sa réserve qu'au moment précis où l'Histoire exigeait qu'il s'engageât. Ce démocrate dans la vie fut un belliqueux dans l'urgence. «Je déteste la guerre, dit-il en 1940, mais il faut la faire!» Tout le contraire de Giono, l'aruspice païen du Contadour, ni résistant ni collabo, mais français, qui détesta les martyrs, appela ses disciples à la désertion, proclama qu'il vaut mieux «vivre couché que mourir debout», donna des textes à *La N.R.F.* de Drieu et à *La Gerbe* de Chateaubriant: il poussa le pacifisme jusqu'au flou, très artistique, de l'irrésolution.

On mesure bien la métamorphose, chez Prévost, de l'antimilitariste en guerrier, et du lecteur invétéré de Goethe en hitlérophobe puissant, à l'aune de la belle lettre écrite, en 1940, à Friedrich Sieburg. De cet écrivain amoureux de la France qu'on dirait tout droit sorti du *Silence de la mer*, il attend un laissez-passer pour que sa seconde femme, Claude Van Biéma, et la fille de Claude, Martine, puissent le rejoindre à Lyon. Mais s'il demande l'aide de Sieburg, c'est sans la tricherie du fourbe, ni l'obséquiosité du vaincu: «Je dois vous dire que les Français qui, en ce moment, se jettent dans les bras des Allemands me semblent aussi méprisables que vous ont paru les Allemands qui, en 1919, se jetaient dans les bras des Français ; enfin que la victoire ni l'armistice ne m'amènent à aucune concession sur les idées. » Et trois ans plus tard, le 1er janvier 1943 très exactement, il note dans son journal (inédit) : « Je m'entends dire chaque jour que ma férocité est insatiable. C'est exact. Ma possibilité de haine pour l'ennemi est inexprimable et d'une violence inouïe. »

À l'instar du clément Phocion expulsant rudement les Macédoniens de la Chersonèse, le germanophile Prévost s'incarne soudain en Goderville pour bouter les nazis hors de France. Avec une ferveur parfois giralducienne – il avait tant aimé la sagesse du Rhin issue du vieil empire carolingien –, il détestait désormais plus que tout la caricature exaltée et assassine de l'esprit prussien, déformé par un petit soldat de l'armée bavaroise devenu dictateur.

Bien avant la guerre, il élevait déjà l'engagement politique à la hauteur du stoïcisme. Le fidèle de Montaigne se méfiait des idéologies en un temps où, pourtant, elles menaient les consciences à la cravache et où s'emballaient, jusqu'à la folie, les esprits les plus cartésiens ; et il célébrait haut et fort quelques vertus civiques, parmi lesquelles la volonté, l'effort, l'honneur, la probité, l'exploit, le sacrifice. Cette morale dérangeait du vivant de Prévost, elle fait sourire un demi-siècle plus tard. Les premiers à ignorer le prophète sont ceux qui souffrent de son exemple, et de la rigueur d'un homme qui a pu écrire : « On ne meurt que pour le plaisir de rester digne de soi-même », avant de mettre à exécution, sans tergiversations, ce grand principe romain.

Le rêve politique de Prévost, massacré dans l'aube de Sassenage, a toujours été celui d'une « aristocratie populaire ». L'ambition qu'avait Firmin Gémier pour l'art dramatique, et qui allait être celle de Vilar, Prévost ne laisse pas de la cultiver pour la société civile. Dix ans avant la naissance du T.N.P., il écrit dans *Apprendre seul* : « Donner à tous les moyens de s'instruire m'a toujours paru la seule manière d'être vraiment bienfaisant, la seule partie intelligente de la politique, le progrès le plus aisé à réaliser. » Il ne souhaite pas à « l'homme du peuple » de s'embourgeoiser, encore moins de sacrifier au règne de l'argent, qu'il vomit, mais de tendre, comme la corde d'un arc, à la noblesse. Pas celle, évidemment, des titres, des privilèges, ni des grandeurs d'établissement. Mais celle des prouesses physiques, de la hardiesse bousculant les dangers, de l'action guidée par l'abnégation et la fierté, de la gaieté, du surpassement de soi, et de l'argent que l'on gagne pour le dépenser, pas pour l'épargner.

Il déteste l'égoïsme, si c'est une manière de s'avantager, si c'est une façon de protéger ses biens. Mais il célèbre, dans l'individualisme, la vertu d'exiger de soi ce que personne d'autre n'oserait réclamer. Il y voit d'ailleurs la doctrine la plus salutaire pour le relèvement d'une société en capilotade. Dans l'hebdomadaire *Pamphlet*, le 26 janvier 1934, il s'exclame ainsi : « L'individualisme tel que l'enseigne Socrate consiste à dire : *c'est pour moi* que je dois être brave, sobre, juste, sage, et même généreux ; *c'est à moi* que je dois des comptes sur tous ces points. Et je dois me gouverner moi-même de la façon la plus aristocratique, exiger plus de moi qu'aucun pouvoir extérieur ne le pourrait faire ; je dois même, si je suis par exemple révolutionnaire, considérer la révolution comme accomplie en ce qui me concerne, donc vivre de mon travail, donner la semaine de 40 heures à ceux qui travaillent sous mes ordres, sans attendre les lois. »

Entré à l'École normale parce que les études supérieures y sont gratuites et parce que ses parents sont
pauvres, il rêve, en connaissance de cause, d'une che-
valerie de « gentilshommes prolétaires », d'une aristocratie égalitaire, qu'il affirme au reste n'avoir vraiment
rencontrées que sur les pelouses de sport. Avec Prévost,
la particule est élémentaire. Il eût anobli le facteur Cheval à Versailles, et transformé en Constitution *Le Livre
des records*. Les personnages qu'il préfère, et honore,
sont les Frères Bouquinquant, les petites gens, mariniers
et mécaniciens, de *Lucie-Paulette*, et ceux qui font dire
naïvement au jeune héros de *Rachel* que « l'homme est
beau dans son travail ». Un bataillon d'obscurs à qui
donner, comme plus tard dans le Vercors, l'occasion
d'accrocher la lumière, fût-ce en mourant.

Une scène de *La Chasse du matin* en dit plus long
que tout sur l'idée que se fait Prévost de la fraternité,
de la pudeur, et de la noblesse des deux sentiments,
quand la souffrance préside à leur mariage. La voici,
racontée par l'un des personnages du roman :

« L'autre jour, je déjeunais dans un restaurant
d'ouvriers. Ils étaient trente ou quarante maçons, qui
devaient travailler sur le chantier d'en face. Arrive un
autre ouvrier, avec un pardessus sur le bras – un chômeur. Il demande de table en table :

« – Personne n'a besoin d'un pardessus ? Trente
francs...

« Personne n'en voulait. J'avais mis cinq francs pour
lui sur la table, et il n'avait pas voulu les prendre. Il
allait sortir, un des maçons le rappelle :

« – Attends, on va le mettre en loterie, ton pardessus !

« Il se met à faire les billets et à toucher l'argent :

50

"Vingt sous le billet! Trente lots!" Au moment de tirer :

« – Bougre d'idiot que je suis, j'ai fait un billet de trop!

« Il donne le billet au chômeur :

« – Tiens, cours ta chance. Prends-le!

« Et il tire les billets dans sa casquette :

« – Ah le cocu! ah le salaud! C'est lui qui a regagné sa pelure!

« Tout le monde injuriait le gagnant, pour qu'il ne remercie pas... »

C'est aux États-Unis, où il se rend en 1937-1938 (une époque où « nous avions besoin d'espérance ») pour *Paris-Soir* et donner une série de conférences, que Prévost voit s'incarner dans une démocratie, non seulement des droits mais aussi des mœurs, l'aristocratie à laquelle il est si attaché, où les devoirs sont plus grands et les exigences supérieures. L'aristocrate moderne, rappelle-t-il à la fin d'*Usonie*, est « celui qui se croit obligé d'être plus courageux que les autres hommes, obligé de s'instruire davantage, obligé de consacrer en silence sa vie et sa fortune aux sciences, aux arts, à la pensée. La vraie noblesse ne peut être que générosité ».

Ce n'est pas, on l'a compris, du lyrisme ni de la morale de pacotille. Pendant des mois et des mois, arpentant les États-Unis de la côte Est à la côte Ouest, Jean Prévost trouve dans le pays de Franklin Roosevelt des réponses aux questions qu'il pose dans les journaux avec une obstination itérative, mais auxquelles aucun politique français ne juge opportun de répondre. Pendant que Gide visite l'U.R.S.S. dans la torpédo de l'Intourist, l'auteur d'*Usonie* découvre outre-Atlantique trois vertus qui lui sont chères et lui semblent cardinales : la maturité de l'esprit, la jeunesse du corps, l'enfance du cœur. Il aime là-bas qu'on juge davantage les actes que les intentions. Il aime que le sport y soit mieux qu'un passe-temps : une hygiène de vie. Il aime une disposition naturelle au bonheur. De l'écologie (« nous avons endommagé la terre, il faut la reconstruire ») à l'architecture selon Frank Lloyd Wright, des matchs de basket aux dessins animés de Walt Disney, Prévost décline dans *Usonie* toutes les rigueurs et tous les plaisirs démocratiques dont il voudrait être, en Europe, l'ardent avocat. *Usonie* rime d'ailleurs avec utopie. Un mot qui lui colle à la peau. Quand, en mars 1935, il célèbre Hugo, pour le cinquantenaire de sa mort, Prévost dessine en vérité son propre portrait : « Le devoir de l'homme de Lettres est de présenter des utopies, de faire désirer aux hommes un état meilleur. Sa pensée ? Un esprit qui ne voit rien d'abstrait, qui voit sous chaque terme général toutes les choses particulières. »

C'est à l'aune de cette philosophie posant en prédicat que la fierté, sinon le bonheur, doive être pour tous ou pour personne, et de cette morale exigeant des intellectuels qu'ils mettent les richesses de l'esprit à la portée du plus grand nombre, que l'on doit comprendre la vie brève de Jean Prévost. Sartre admirait chez lui qu'il n'eût « jamais joui de la culture comme d'une propriété historique », mais seulement comme d' « un instrument précieux pour devenir un homme ». Ce normalien érudit n'a eu en effet de cesse de faire oublier qu'il l'était. Sa passion pour les sports collectifs, pour des cités humaines, pour un cinéma exorcisant le réel, pour les mille et un secrets du quotidien, bref pour l'art de vivre, est celle d'un écrivain qui croit au progrès par la civilisation technique, et qui veut respirer à hauteur d'homme. Tout simplement.

Le monde n'est pas pour lui un concept, mais une œuvre à parfaire. Il met la même ardeur à comprendre la création chez Stendhal qu'à donner, dans les journaux, des conseils pratiques aux ménagères, aux parents, et aux enfants. Il admire autant les œuvres de Matisse que l'architecture moderne, pensant avant beaucoup que le métal et le ciment armé seraient, pourvu qu'on les domestiquât, les modelât, l'avenir de la construction.

Comme son maître Alain, avec lequel il divergea souvent, Prévost pensait du moins qu'il n'y a pas de projet philosophique qui ne fût né d'une expérience singulière. Entre un mysticisme improbable et un intellectualisme élitaire, il plaide pour l'humanisme et annonce l'existentialisme. Le travail de l'esprit ne se départ pas, selon lui, du monde en marche. Pendant que ses condisciples de la rue d'Ulm entrent en religion, celle de la carrière universitaire, Prévost néglige de préparer l'agrégation et signe, dans *L'Intransigeant*, des éditoriaux prophétiques où il s'inquiète du chômage français et de la montée de l'hitlérisme outre-Rhin.

Car Prévost possède un flair exceptionnel. C'est une fantastique bête aux aguets qui renifle la menace. Il ne se lancera pas, ensuite, dans la guerre par haine de l'Allemagne – il y a fait un séjour linguistique en 1913, il aime cette langue, il fréquente Goethe avec passion et dans le texte – mais par une horreur presque physique du totalitarisme : « Je sentais, note-t-il à dix-sept ans, la tyrannie de tout ordre imposée aux hommes, l'artifice de tout ordre imposé aux choses. Et je ne pouvais suivre une doctrine qui ne nierait pas la guerre absolument. »

Dès 1936, dans ce livre prémonitoire : *La terre est aux hommes*, il prévient des menaces que fait peser sur le monde le désir d'expansionnisme de l'Allemagne nationale-socialiste, de l'Italie fasciste et du Japon impérial : « Ces problèmes, écrit-il d'emblée, sont tout à fait insolubles par les méthodes communes de la politique. Ils déconcertent : jusqu'à présent, dans l'histoire du monde, seules les aristocraties étaient conquérantes, or on voit en Italie, au Japon et en Allemagne, un prolétariat se solidariser avec l'esprit de conquête. »

L'auteur, qui rappelle ne compter sur l'appui d'aucun parti, supplie son lecteur de l'aider, de poursuivre ses réflexions. Mais qui, en 1936, écoute cet homme qui parle avec ses tripes, son corps, son cœur, autant qu'avec sa vibrionnante intelligence ? Une constance chez Prévost : s'il théorise, c'est après coup. Les muscles du pugiliste se rétractent avant que fonctionne la redoutable mécanique de l'intellectuel.

Rendant compte, en 1927, du *Voyage au Congo* de Gide, il ne se contente pas de partager l'indignation de l'auteur des *Nourritures* devant l'oppression coloniale. Il se demande s'il ne vaudrait pas mieux donner aux Africains « les moyens civils et politiques de se défendre eux-mêmes ». Et dans *La terre est aux hommes*, essai précédemment cité, Prévost signe une provocante défense et illustration de « l'émigrant de vingt ans : le jour où il met le pied dans un nouveau pays, il apporte avec lui, même s'il n'a pas un sou, une valeur très réelle : il est, dès le premier jour, un homme fait et un travailleur (...) L'homme qui débarque est un capital vivant, dont sa patrie adoptive, même temporaire, pourra profiter (...) Ainsi le capital humain que constituait ce jeune homme pauvre, sans un sou, sans relations, obligé de travailler dès le premier jour dans les conditions les plus dures, est entièrement acquis à sa nouvelle patrie ».

Mais Jean Prévost ne se contente pas de plaider, en intellectuel, pour le respect dû à l'immigré. Il exige, pour lui, un statut digne de ce nom. Soixante ans avant que le débat naisse véritablement sous la présidence de François Mitterrand, l'auteur de *La terre est aux hommes* donne ici la mesure de son intelligence visionnaire. Lisez plutôt : « Quant aux droits politiques, nous craignons de choquer gravement les traditions françaises en disant qu'ils pourraient être partagés : on devrait, ce me semble, donner tout ce qui est local dans ces droits aux immigrants installés à demeure. Ils devraient par conséquent participer sur le même pied que les citoyens français à l'élection des conseillers municipaux et des maires. Quant aux droits politiques proprement dits, aux élections législatives, ils devraient plutôt continuer de voter dans leur pays d'origine. » La conviction de Prévost est arrêtée : la fermeture des frontières aux émigrants est la première cause du fascisme, de l'hitlérisme, de l'impérialisme japonais, bref des risques majeurs de guerre.

L'humanisme prévostien, dont chaque livre qu'on relit est une illustration et une bouleversante confirmation, est un alliage précieux d'audaces politiques (le droit de vote aux immigrés) et de simples évidences (l'identité nationale ne passe pas forcément par la possession du sol). S'il innove, c'est avec bon sens. Une révolution douce. Et l'on aime lire sous sa plume, dans *La terre est aux hommes* – c'est-à-dire dix ans après la publication de *Mein Kampf* et quatre ans avant l'Holocauste –, cette exclamation en forme de défi, sinon de prière :

« On se demande comment des patriotes peuvent être les ennemis des Juifs, alors que les Juifs ont donné, de par le monde, la seule preuve valable que la patrie est indestructible, réellement immortelle ! (...) Ils sont la preuve que le sentiment de la patrie, la tradition nationale sont vraiment une âme qui résiste et survit sans peine à la désintégration complète du corps. » De celui de Jean Prévost, qui combattit jusqu'à sa mort les armées de l'antisémitisme, il ne reste plus rien, aujourd'hui. Rien, fors cette « âme » qui brille et ne veut pas s'éteindre, malgré l'indifférence des hommes qu'un écrivain haïssant la haine eut l'illusion, quand il était encore temps mais qu'on négligeait ses idées, de réconcilier.

La joie de cette vie

Jean Prévost a toujours eu un énorme appétit : il est né dévoreur. S'il fait tant de sport, c'est aussi pour pallier la disgrâce d'un bedon précoce. Sa mère, douée pour blesser, l'appelait « le gros ». Rondelet à dix ans, épais à quatorze, il découvre, en luttant contre le flasque et le ridicule, le besoin de se dépenser, qui prélude au désir de se surpasser. Quand on veut une prose sans graisse, il faut d'abord travailler à l'éliminer sous la peau. Sa vocation : devenir « un homme léger ».

L'exercice est une contrainte qui mène à l'ivresse. *Plaisirs des sports* : le titre dit tout. Fatiguer le corps, c'est bousculer l'autre, avec une tendre violence. C'est aussi reposer l'intelligence, parfois éloigner l'âme – cette gêneuse. « Dès que mon corps se fixa, mon esprit cessa de vaguer », écrira-t-il, un an plus tard, dans *Brûlures de la prière*, texte bref où l'auteur se déleste de quelques présomptions mystiques et dont le narrateur, qui doute, découvre dans le travail du bûcheron et la chaude fatigue de la tâche bien accomplie comment calmer sa conscience insatisfaite : « Je me rappelai que j'avais oublié Dieu, et par contraste, je me sentis avec force en état de grâce. Le travail corporel avait donc suffi à me fournir ce bonheur où tendait autrefois l'effort spirituel. »

C'est que Prévost construit sa philosophie des *Plaisirs des sports* sur les ruines, qu'il a provoquées, de l'intellectualisme pur et de la spiritualité monacale. À vingt-cinq ans, cet adepte de Spinoza pour qui le corps est la mesure de l'esprit prétend déjà à l'humanisme rationaliste en se flattant d'avoir épuisé, en outre, la science de l'introspection. Il voit dans le *Pari* de Pascal et dans le *M. Teste* de Valéry un refus ontologique du monde extérieur. *Brûlures de la prière*, comme *Tentative de solitude* (ce traité à propos duquel Mauriac écrivit à Prévost : « Nierai-je que vos coups portent? Hélas! »), sont des manières de règlements de comptes précoces avec les chantres de la méditation, quand elle ne mène à rien, et « les tristes cultivateurs du moi », au moment des maigres moissons. C'est, le cynisme en moins, le jaurésisme en plus, et trente ans plus tard, une version roborative du *Paludes* de Gide, dont le personnage, qui rêvait inutilement d'atteindre Biskra, n'a jamais dépassé Montmorency, ni connu la célébrité littéraire à quoi il aspirait, ni goûté aux *Nourritures terrestres* qu'il convoitait.

Quand il publie, en 1925, ce recueil d'essais sur le corps humain au titre dionysiaque, qui est son premier livre et que Jean Paulhan, dans une lettre à Schlumberger, juge « excellent », Jean Prévost sort de Normale supérieure. Il ne s'inquiète pas seulement d'être un intellectuel, il craint de le demeurer. Ce vade-mecum de la santé ordinaire qu'il prétend destiner au « public » ressemble plutôt à une autoprophylaxie. Tel Stendhal, confiant lapidairement à sa sœur Pauline, dans une lettre de 1806, qu'il se prescrit de l'exercice « ou, dans dix ans, gros et hébété », le jeune homme ne veut pas s'épaissir à sa table d'écrivain. Il lui plaît de se dicter, très tôt, un code de vie dont les principes sont l'entraînement, l'abstinence, la sobriété. Son pari : retarder la laideur, bannir la mollesse, différer l'abandon, exiger du corps qu'il « donne de la joie », l'estimer, et lui être fidèle.

Cette obsession de ne point faillir le poursuivra toute sa vie. Dans la tourmente de 1942, alors qu'il est déjà le confident de Pierre Dalloz et partage, avec fièvre, son grand rêve d'un Vercors offensif, Prévost évoque dans son journal intime, à la date du 29 octobre, un bref voyage en Suisse où il a donné des conférences sur Stendhal. Mais il parle moins de Beyle, que de sa panse, enfin rassasiée. Lors d'un déjeuner, il précise avoir absorbé un quart de jambon fumé, deux ombles chevaliers (comme ceux que Voltaire offrait à ses hôtes à Ferney), un large chateaubriand aux frites, une roue de gruyère, et trois tasses de vrai café. Retour en France occupée, il écrit aussitôt : « Comment reprendre le corset dur et délicieux des bonnes habitudes ? Comment craindre ma montre comme un patron ? » C'est que, dans les *Plaisirs des sports*, le spartiate ne met pas de l'esthétique, mais de la morale.

À l'opposé des *Olympiques* de Montherlant, Prévost ne goûte guère le modèle de la beauté antique, ni la gloire mâle des champions. Il connaît la joie de la force, il n'en a pas le culte. Fidèle à la hiérarchie des vertus platoniciennes, il estime que, guidée par le courage, fondée sur l'esprit de justice, elle mène à la sagesse. D'emblée, il se réfère à « l'ascèse hindoue, la Yoga » et à la gymnastique suédoise, plutôt qu'à l'idéal athénien : « Les Grecs s'entraînaient pour s'adapter à leur civilisation. Nous nous entraînons pour résister à la nôtre. »

Rompant avec le canon de l'hoplite et l'archétype du discobole, Prévost préfigure le jogger des temps modernes. Le chapitre s'intitule « La matinée dans un bois ». Ce n'est pas seulement, dans l'aube humide, une merveille de littérature buissonnière, c'est aussi, avec soixante-dix ans d'avance, un portrait au pas de charge du coureur d'aujourd'hui : « Il semble que notre corps, étendu par le sommeil en une ampleur flottante, doive à chaque réveil se resserrer, durcir, revenir, pour agir, à de solides contours. Bientôt les jambes s'aidèrent des reins et du buste dont l'équilibre s'assouplit ; les chevilles se jouèrent du poids du corps et chaque bond prit du sentier une part plus grande (...) Un esprit étrange, remonté il ne savait d'où, s'emparait de lui, pliait ses membres et ses sens à de nouveaux usages. Il évitait de faire craquer le bois mort, allégeait ses pas et en améliorait passionnément le silence. »

On sent, comme une odeur tenace, cette allégresse de la course à pied dans les premières pages de *La Chasse du matin*. Le jeune architecte Roger Dannery, en vacances avec des amis dans la baie d'Hossegor, soigne au rythme des petites foulées matinales ses angoisses d'un avenir sombre et d'une improbable carrière. À l'apparition des premiers rayons, il s'appuie sur la rampe du balcon, danse sur place « pour éveiller ses chevilles paresseuses », puis se lance, élastique et rapide, sur les berges du lac marin. « Il fila sans peine sur le chemin de Seignosse, de temps en temps salué sur sa droite par le soleil, puis il peina dans les sables avant de rejoindre, au fond du lac, les sentiers paillés, souples et qui faisaient rebondir les foulées. Le lac fumait. Dannery s'émerveillait de n'avoir rien regardé, de n'avoir pensé à rien ; sa course se jouait dans les pentes, se reposait dans une descente, puis repartait plus légère... »

Plaisirs des sports, c'est l'éloge de la respiration, de la circulation, de la force tranquille. C'est la découverte de sensations neuves, que la mémoire du corps enregistre. C'est la difficulté, et parfois le bonheur, de traduire ces mouvements, ces gestes, dans la phrase classique. À partir de ce livre, dont certains chapitres ont été récrits seize fois, Prévost comprend qu'il doit demander à la littérature ce qu'il exige de son propre corps : la victoire à l'arraché, par le mot juste et le rythme vif. *Plaisirs des sports*, c'est enfin le préambule d'une philosophie qu'il n'allait cesser d'appliquer : donner à chacun l'occasion de s'exprimer, sans distinction de classes, et répandre le terreau d'une culture populaire. Si l'escrimeur rejette le tennis, ce n'est pas que ce sport l'indiffère, c'est qu'il y voit un signe distinctif de réussite sociale avec ses tenues immaculées, son rituel dominical, et son emphase des chiffres en vertu de laquelle un simple trois se gonfle, tel un parvenu, en quarante. « Quand il n'est pas joué par des champions, lâche-t-il, méprisant, c'est une danse triste pour attendre le thé. » Même grogne contre le golf : un sport propre « pour vieux banquiers » auxquels, bientôt, se joindront les présidents de la République et leurs caudataires.

Cet agacement que le tennis suscite chez lui, Prévost l'illustre dans une scène des *Frères Bouquinquant*. Le garagiste Pierre Bouquinquant et sa belle-sœur Julie, paysanne mariée à un marinier, marchent le long de la Seine, à hauteur des usines Peugeot. Sur les terrasses ceintes de grillages, de jeunes gens blancs échangent des balles. « Ils se donnent bien du mal », lâche Julie. Pierre prend la phrase au bond, et smashe : « Oui, ils se sont donné la peine de naître. Maintenant, ils se donnent la veine de paître. » À cet instant, une balle de tennis tombe à leurs pieds. Pierre la ramasse, et d'une détente la renvoie aux maladroits expéditeurs. Un « merci » de jeune fille pure fuse derrière les grillages. « Tiens, s'étonne Pierre, pour une fois, ils sont polis. » Tout est dit.

En vérité, Prévost ne s'intéresse guère aux sports individuels, équitation ou ski. Exploits trop chics, triomphes trop égoïstes, pense-t-il. (N'empêche : voyageant en Espagne dans les années trente avec André Chamson, il tenait en selle des journées entières et parcourait, trottant l'amble avec bonheur, la sierra de Gredos, à 2 000 mètres d'altitude !) Son second fils, Alain, héritera du sportif, pas du théoricien : le cheval sera sa passion, le dressage son art, et peu de temps avant sa mort, à quarante et un ans, il publiera, avec l'écuyer Michel Henriquet, un dictionnaire d'équitation dont l'intelligence et la noblesse des sentiments eussent réconcilié son père, s'il l'avait lu, avec ce sport qu'il croyait élitaire et que son fils a célébré au moment précis où il devenait populaire.

Dans l'entre-deux-guerres, Jean Prévost adore le rugby et ses mêlées d'airain sur le pâturin. C'est le meilleur pilier de la N.R.F. Quand son équipe affronte celle, costaude, des bouchers de Paris, deux étaliers se cassent le nez sur son crâne.

Autre passion : le kayak. Il ne se lasse pas de descendre, en canoë canadien et en groupe mixte, le Lot, le Tarn, la Dordogne, le Rhône ou le Danube, au fil d'une eau qui « nous laisse oublier notre poids sur la terre ». Il loue ce sport, et ses praticiennes. C'est que, le soir venu, les belles pagayeuses ont, pour le capitaine au long cours, des mains de harpistes. « Si tu avais consenti à faire du canoë, dira-t-il un jour à Marcelle Auclair, je ne t'aurais jamais trompée. » Cet érotique canoë, Prévost le baptise Merlin. Comme l'un de ses romans, sous-titré : *Petites amours profanes*, qui fut accueilli en 1927 par la critique avec, note-t-il, « une espèce d'horreur ».

Le livre était charnel, il prolongeait dans les bras des jeunes femmes les *Plaisirs des sports*, on y ramait sur le Loing dans une barque qui « oscillait à chaque caresse », le héros embrassait « les muscles échauffés, l'encolure déjà cuite au soleil » d'une de ses compagnes – les bigots, restés sur la berge, n'y virent qu'une odieuse provocation pornographique. Il est vrai que, pour l'époque, ce récit était osé : Prévost y racontait l'éducation sexuelle de Merlin, interne dans un lycée parisien, mais prompt à l'escapade licencieuse. D'une fille de la campagne qu'il bécote en « faisant les moyettes » à l'étudiante norvégienne qui lui apprend les règles de l'art (« des frôlements de papillon, des baisers sans brûlure »), en passant par Marthe, la soubrette de la pension (« profonde à pénétrer, elle s'était élargie et mouillée dès le début de ses soupirs »), sans oublier les péripatéticiennes des quartiers interlopes qui lui font « la toilette du condamné » – dans ce roman on initie violemment, mais sûrement, notre béjaune à l'amour physique. Puis à sa consécration, l'épicurisme : « Le plaisir se taisait devant l'admiration : sa maîtresse devenait tous les beaux-arts, tous ses rêves réalisés. Que restait-il maintenant à espérer, à imaginer ? Il en sentait une vraie angoisse, le petit païen bucolique, d'atteindre ses divinités, de n'avoir rien de mieux à souhaiter. À son âge, on ne goûte pas les souvenirs. »

Merlin allait grandir et s'assagir ; Prévost, lui, choisit de rester un éternel étudiant remplaçant sans cesse les maîtresses épuisées et les rêves réalisés par de nouvelles maîtresses, de nouveaux rêves, sans jamais prendre le temps de respirer la douce et longue fragrance de la mémoire du bonheur. « Lorsque les jeunes garçons n'ont plus goût à l'amour charnel, sans avoir encore l'âge des passions tenaces, ils commencent leur crise mystique. » L'écrivain, en conséquence, échappa à cette maladie de l'âme. Il avait un corps de tombeur, pas de cénobite.

Merlin, d'évidence, c'est le jeune Prévost, à qui l'on peut appliquer le jugement esthétique que Lucien Leuwen porte sur la comtesse de Commercy : « Ses traits ne sont pas nobles, mais ils sont portés noblement. » C'est ce Paysan de Paris nostalgique de la campagne qui court au Luxembourg pour cueillir les feuilles des marronniers et respirer le parfum de l'herbe coupée, c'est l'adolescent qui a un besoin animal des femmes, c'est l'élève un peu gauche, un peu lourd, sentant « par tous ses membres un orgueilleux trop-plein », et qui trouvera plus tard à l'épuiser, ce trop-plein, en ramant comme un beau diable sur un canoë nommé Merlin et sous l'œil de jeunes filles admiratives...

Il y a du Maupassant chez ce Prévost-là. Les deux taureaux normands aux encolures de portefaix aimaient l'eau « sans rides, vernie par le soleil du matin », le sport, le cidre, et les femmes. Combien de fois, faisant furieusement de la yole sur la Seine, l'auteur de *Boule-de-Suif* n'a-t-il pas accosté devant des maisons closes, où des lorettes épongeaient sa sueur et soulageaient son ardeur ? Ces deux faunes lascifs échappés d'Yvetot ont le même appétit de chair fraîche, les deux écrivains la même faculté d'écrire vite et beaucoup, les deux jouisseurs musclés la même rage de vivre jusqu'à l'épuisement, de pagayer loin pour échapper à la société parisienne, qui les insupporte. Et ils mourront au même âge : quarante-trois ans, l'enfance de l'art! Seulement voilà : l'auteur de *La Chasse du matin* n'a pas eu la chance, lui, d'être adoubé à trente ans, comme Maupassant par Flaubert – comme, avant eux, Stendhal par Balzac, comme, après eux, Mauriac par Barrès, ou Gracq par Breton. Il aura toujours manqué à Prévost un père spirituel, dont il eût, après huit années de tendresse et d'admiration, lavé le corps mort à l'eau de Cologne, fermé les yeux, et suivi les conseils.

À la fièvre du canotage, qui irradie tous ses romans, de *Rachel* à *La Chasse du matin*, Jean Prévost, notre audacieux Bel-Ami, ajoute la rigueur de l'épée. Il excelle à croiser le fer : il a appris le fleuret en France et le sabre à Cambridge, où il était lecteur, avec des étudiants hongrois. De l'escrime, il célèbre la vigilance : « Il faut toujours se tenir prêt à exécuter vite une action compliquée et imprévue. » Il en parle comme de l'architecture : « Art vénérable, poli par tous les siècles où il a été la science, le salut et l'honneur des hommes libres, tant d'expériences ne l'ont pas compliqué, mais épuré et simplifié toujours. »

Dans tous les sports qu'il a pratiqués, le champion avait une botte secrète et redoutable : il était ambidextre. Dès que l'adversaire le menaçait, le droitier se métamorphosait alors en gaucher. D'aucuns ne s'en sont pas remis. Tel le maître d'armes du *Bremen*, navire voguant en 1938 vers les États-Unis, à qui Prévost cingla le coude droit et qu'il battit par dix touches à deux lors d'un assaut « amical » que l'Allemand avait naïvement provoqué.

L'escrime appelle le talent, mais la boxe le génie. C'est que, pour Prévost, le boxeur combat avec tout son corps, son seul corps, et qu'il ne saurait vaincre sans ces qualités morales que sont la faculté d'endurer, l'obéissance, et l'obstination à ne jamais quitter des yeux l'adversaire. Ce même Prévost dont Martine, la fille de Claude Van Biéma, précise qu'il ne fixait jamais la personne dont il serrait la main, trouvait dans la boxe ce qu'il semblait fuir dans la vie : le regard de l'autre. Plus qu'une lutte aux poings, un duel de rétines. L'ordalie entre les cordes.

Chez les autres écrivains, Prévost admire aussi bien le talent littéraire que la faculté de se battre. On ne comprend rien à son affection pour Saint-Exupéry sans cette double et complémentaire attirance. Et quand, pour la première fois, le puissant Ernest Hemingway pénètre dans la librairie d'Adrienne Monnier, d'évidence les deux gaillards sont faits pour s'entendre. Relire la préface à *Le soleil se lève aussi* que Jean Prévost a écrite en 1928. C'est, sur Hemingway dont il brisa le pouce lors d'un combat fomenté par Sylvia Beach, l'un des plus justes exercices d'admiration : « J'ai boxé contre lui, il y a quelques années. Son coup de poing, aisé et dur, était celui d'un professionnel, son sang-froid restait superbe, même quand, plus petit que lui et de masse égale, je passais sous sa garde pour frapper au corps ; il se dégageait d'un geste prompt, mais calme, tout pareil à un coup de godille, puis ma tête de nouveau devait subir le martèlement de ses poings. Il se blessa, et m'en informa sans un geste, avec un parfait sang-froid. J'aurais douté de lui si je n'avais vu, sitôt le gant retiré, sa main gonflée. »

La boxe est sans doute le seul sport que Prévost, ex-champion de France universitaire, ait pratiqué toute sa vie, sans interruption. Il accepta même, à quarante ans, de faire un assaut de quatre rounds contre Locatelli, alors numéro un d'Europe. Prévost donna le meilleur de son métier. Il réussit à finir debout grâce à l'indulgent arbitrage de Tristan Bernard, qui séparait les combattants aux moments critiques, se vantait d'être « un contemplateur fervent de l'effort d'autrui », et glissait une anecdote entre deux corps à corps, afin que Prévost pût récupérer. Dans ses bureaux successifs, il installait chaque fois un punching-ball. L'objet lui était aussi nécessaire que le dictionnaire. À la manière de l'étudiant Merlin maniant dans sa chambre ses haltères jusqu'à l'abattement, Jean Prévost, quand il peinait sur une page, enlevait sa robe de chambre, enfilait sa culotte de cogneur, et tapait comme un hystérique sur le ballon de cuir. Il défoulait ainsi sa rage et son imagination. Au reste, le double effort dégageait une forte odeur de sueur. Ce n'était plus un gueuloir d'écrivain, mais une salle d'athlétisme. Le miracle, c'est que sa prose ne sentit jamais l'effort.

Donc, Prévost aime boxer, et manger. La chair est gaie, et il veut lire tous les livres. À Normale sup, tous les jours pendant vingt mois, de quatre à huit heures du matin, il lit Platon en guise de petit déjeuner, jusqu'à l'indigestion. L'histoire ne dit pas si, à vingt-quatre ans, celui qui signe ses premiers articles dans *La N.R.F.* se rend aux thés de Jacques Rivière pour faire provision de gâteaux ou pour faire son miel des conversations lettrées. Gageons que l'un n'excluait pas l'autre.

À Henri Guillemin, Prévost dit un jour préférer, aux idées, « la vie et ses plaisirs ». C'est un bon mot. Car s'il a vécu pour les plaisirs, il est mort pour ses idées. Étonnant mélange, chez cet homme rayonnant, d'hédonisme et de bravoure. Alliage doré d'intelligence pure coiffant un corps de sybarite corrigé par la gymnastique, puis émacié et fortifié sur le tard par les combats du Vercors. Regardez bien les dernières photos de Goderville : jamais il n'a été si beau, si jeune, si accompli physiquement.

Parce qu'il sait vivre dans l'instant, brûler sur le vif son énergie, l'athlète n'œuvre jamais pour la postérité. C'est peut-être ce qui le rend si différent de ses voisins d'Ulm ou de la N.R.F. : le même se soucie de sa ligne, mais se garde bien d'hypothéquer sa survie. Portrait du lovelace en séducteur de l'éphémère. En 1940, à Claude Van Biéma, sa seconde femme, il envoie un poème en forme de prière : « *Claude, si la guerre incertaine / Un de ces beaux matins m'emmène / Les pieds devant / N'écris pas mon nom sur la terre / Je souhaite que ma poussière s'envole au vent.* » Il ne croyait pas si bien dire. La tramontane a emporté la mémoire de ce don Juan qui avait rencontré l'héroïsme.

Les femmes, Prévost les a enlevées comme des places fortes. Il avait moins de rêves que d'impatiences. Cet amant de carrière, comme on le dit des militaires, tenait davantage du maréchal de Saxe disposant en campagne d'une batterie de vivandières que de l'officier Choderlos de Laclos, cet expert raffiné en polémologie amoureuse. De ses luttes d'adolescent contre le gras du ventre, Prévost avait toujours conservé une forme de timidité naturelle, qu'il malmenait sauvagement en croyant que, pour parvenir à être désiré, il faut conquérir. Ce stendhalien doutait, en amour, des vertus de la douceur. C'est qu'il était peu apte à la langueur, se vengeait sans cesse de ses tremblements, et sous-estimait ses facultés. Au point que, dans sa jeunesse estudiantine, le marcassin crut un temps accuser ses airs de conquistador en brisant les meubles des jeunes filles pauvres qu'il courtisait. Les malheureuses n'imaginaient pas que l'amour fût si destructeur et si peu ménager.

Dans *La Chasse du matin*, la réponse que fait Roger Dannery à la charmante et modeste Mirette doit beaucoup, sinon à Prévost soi-même, du moins au masochisme qu'il a entretenu dans sa jeunesse : « Non, je ne suis pas un garçon qui plaît aux femmes ; je suis trop sombre pour elles, j'ai la figure taillée trop dur. C'est quand on a le plus besoin des femmes qu'on leur plaît le moins. » Et c'est le fils d'instituteurs normands lâché dans le Paris bourgeois des belles-lettres qui ajoute aussitôt, avec une pointe d'amertume : « Ce sont les enfants gâtés qui leur plaisent : ceux que leur mère adorait quand ils étaient petits ; on leur a dit qu'ils étaient beaux, on les a fait beaux tous les dimanches, et ils le sont restés. (...) Les femmes vous aiment dès le maillot ou jamais. »

Mais s'il avait établi qu'il ne s'aimait guère, Prévost ne détestait pas qu'on l'aimât. Le séducteur était maladroit, mais il faut croire que cette gaucherie de mâle prenant les femmes pour de sportives compagnes de jeux, moitié crawleuses, moitié acrobates, ajoutait à son charme, car il fut comblé. Ses maîtresses, de l'actrice Germaine Montero à la future Mme Lacan, Sylvia Bataille, ne se comptent plus. De cette vie sentimentale olympique, deux filles naturelles sont nées pendant la guerre, l'une à Casablanca, l'autre à Vichy. Une vaste famille, par contumace.

La vérité est que Jean Prévost, grand sentimental devant l'éternel, ne supportait pas qu'une demoiselle se refusât à lui. Les rigueurs autarciques de l'internat, l'absence d'une sœur, et l'abus des livres, l'avaient poussé non seulement aux excès de l'amour romanesque, mais aussi à les réprimer avec sauvagerie. Chez lui, Adolphe maltraitait Roméo. Il ressemblait à son jeune personnage, Merlin, qui « détestait toutes les femmes qu'il regardait fixement, et qui ne se retournaient pas. Il aurait dit des ordures, se serait déculotté pour se faire un peu remarquer ; du moins il trompait ses vexations par des souhaits vengeurs ». Pour deux d'entre elles, plus rétives qu'à l'accoutumée, Prévost tenta d'ailleurs de se suicider, une fois en 1920 (veines ouvertes dans son bain), l'autre en 1930 (tête lancée contre un mur de béton).

Si Marcelle Auclair a « souffert comme une damnée » en sa compagnie, ce n'était pas seulement que son mari lui était infidèle, c'est qu'il lui racontait ses aventures, lui détaillait jusqu'à ses déboires amoureux, estimait même méritoire de lui énumérer celles de ses amies avec lesquelles, par grandeur d'âme, il n'avait point couché. « Elles ne dépassaient pas, dira Marcelle Auclair, les cinq doigts de la main, et encore parce que les maris étaient des copains, et qu'il ne pouvait pas leur faire " ça "! » Avec une singulière hypocrisie, vêtue de bonne conscience, Prévost rétorquait souvent à sa femme : « Je ne te trompe pas réellement puisque je te dis tout! » Jusqu'au jour où, à son tour, Marcelle Auclair prit sa revanche, et un amant. Pas n'importe lequel : un écrivain alors plus glorieux que Prévost, un poète qui était « la séduction même » et « le mystère fait homme », un élégant qui portait le nœud papillon et continuait de pratiquer le vouvoiement au lit. Il s'appelait Saint-John Perse. Le divorce devait suivre, logique et inéluctable. Les deux garçons, Michel et Alain, restèrent avec leur père, qui avait une nouvelle fois menacé de se suicider si on les lui enlevait; Françoise demeura avec sa mère.

Mais à peine s'était-il séparé de sa première femme qu'il épousait Claude Van Biéma, pour la tromper presque aussitôt avec Marcelle Auclair. Le divorce comme remède à l'ennui. Pendant la guerre, alors que Prévost accomplissait de fréquentes missions entre Paris et le Vercors (dans le train, il lisait et annotait Platon!), les deux époux séparés se retrouvaient le soir à l'hôtel Palym, près de la gare de Lyon. Un hôtel que Prévost avait choisi parce qu'il était truffé d'Allemands : il y avait peu de chances qu'on cherchât, dans cette manière de garnison, un résistant qui cachait parfois jusqu'à cent cinquante fausses cartes d'identité dans un sac de pommes de terre sur lequel il culbutait son ex-femme. « Nous avons continué ainsi, reconnut plus tard, fataliste, Marcelle Auclair, à avoir des rapports physiques contre vents et marées. » À quoi sa fille, Françoise Prévost, ajoute : « C'est la raison pour laquelle, je crois, je n'ai pas souffert du divorce de mes parents. Je me disais simplement, tiens, papa fait la cour à maman... »

Cette fringale de posséder, ce plaisir de généralissime à percer la ligne ennemie, cette fierté machiste à collectionner les trophées du sexe opposé et à exiger des femmes qu'elles consolent son orgueil, illustrent une conviction chère à Prévost : que l'amour est la seule aventure païenne qui déroute les lois carcérales de la destinée et fasse imploser les préjugés sociaux ; qu'il faut chercher dans l'amour autre chose que l'amour. L'admirateur des *Pléiades* de Gobineau et du *Lys dans la vallée* de Balzac pense qu'aimer, c'est mesurer son goût de liberté, c'est pousser la vie jusqu'aux frontières de l'art. Fors la guerre, le futur capitaine Goderville ne voit pas d'autre occasion, dans la vie de chacun, de « courir des risques, s'inventer une conduite à tenir, un courage, une sorte de poésie, sans l'assistance des habitudes ou des conseils ».

Il écrit cela dans la préface à *Rachel*, un roman « hasardeux » publié en 1932 où il raconte l'impossible amour entre un garçon d'origine modeste, René Sombernon, et une riche héritière, Rachel, qui a laissé en province le fiancé qu'elle tarde, qu'elle hésite à épouser. On voit bien, dans ce livre de maturité sentimentale, ce qui intéresse Prévost : montrer qu'on peut dépenser toute son énergie, sacrifier sa carrière, consacrer des années de nuits blanches à une histoire d'amour promise à l'échec. Car René et Rachel, le premier prosaïque, la seconde lyrique, travaillent à se fabriquer des illusions en détruisant, jour après jour, leur improbable union. Lui est un Leuwen en quête d'héroïsme, elle une Bovary d'opéra retouchée par Gluck. Ils cherchent moins à s'aimer qu'à se trouver des raisons différentes de vivre au-dessus d'eux-mêmes. « Mon courage, lâche d'ailleurs René avec amertume, je n'ai pu l'essayer qu'à des sottises, à des dangers inutiles. » En 1932, il part à la conquête de Rachel, faute de Vercors. À la fin d'un roman à la rhétorique et à la progression militaire, il a perdu la bataille. L'amour-propre des deux protagonistes a eu raison de l'amour tout court. Le destin a rattrapé, au bord d'un ravin, ceux qui croyaient pouvoir lui échapper.

C'est peut-être le roman dans lequel Jean Prévost montre le mieux quel séducteur il fut : gauche dans le comportement, têtu dans la stratégie, peaufinant sa tactique en ramant avec fureur sur la Marne, sachant faire souffrir avec une science consommée, mettant de la vantardise et du défi partout, incapable de comprendre qui ne lui ressemble pas, excité par l'idée d'avoir à vaincre une femme plus riche que lui, généreux dans les projets mais égoïste dans les souvenirs, et ne trouvant l'assomption de ses efforts que dans l'amour sportif, où l'homme et la femme réveillent le garçon et la fille sauvages qu'ils ont été : « Bientôt ils luttaient, roulaient à terre ; il admirait, sous les yeux fous, de jeunes dents éclatantes. Elle y était venue enfin, à ces accès d'enfance, l'une des récompenses de l'amour, et qu'il faut cacher, car ils semblent aux indifférents encore plus intolérables que l'amour même. »

L'amant fut fantasque, le père exemplaire. Ses trois enfants, Michel (parce que Montaigne), Alain (parce que Chartier) et Françoise (celle de *À la recherche du temps perdu*), n'ont pas seulement été aimés, ils ont été élevés. C'est que Prévost figurait à la fois le papa-poule avant l'heure, le répétiteur, le chef de bande, le joueur, le conteur, et le prof de gym. Si, aujourd'hui, Françoise appelle son père « Prévost », Michel parle toujours de « papa ». Les deux, quand ils se retrouvent, n'en finissent pas d'évoquer un Jean Prévost renversant les fauteuils, jouant aux « trois petits cochons » et au « grand méchant loup ». La tendresse n'excluait pas la sévérité : chez les Prévost, la bêtise se traitait à la fessée, surnommée « l'éventail à bourriques ».

À partir de 1937, l'auteur de *La Chasse du matin* devient un théoricien populaire de l'éducation et, au grand dam de ses pairs, glisse sans coup férir et avec gaieté des colonnes de *La N.R.F.* à celles de *Marie-Claire*, où les parents suivent avec fidélité, et stupéfaction, les conseils de ce père modèle : « L'ordre doit être un jeu pour vos enfants », « Mon enfant est gaucher, que dois-je faire ? », « Le Problème de l'enfant unique », « Le bonheur de nos enfants », voici les thèmes des articles que Prévost consacre à l'art d'élever sa progéniture. L'époque, faut-il le rappeler, confiait cette tâche aux seules femmes. Il faut imaginer, pour comprendre le succès de cette pédagogie populaire, un Le Clézio ou un Modiano se métamorphosant aujourd'hui en précepteurs dans les colonnes de *Parents* ou de *Vital*.

J'ai, sous les yeux, un exemplaire défraîchi de l'hebdomadaire *Vu*, paru en décembre 1931. Le reportage de Marcelle Auclair et de Jean Prévost s'intitule « La journée des enfants ». Ce sont les leurs : Françoise, Michel et Alain. Il est illustré de photographies sépia, couleur de la mélancolie, prises dans leur appartement de Montrouge, où les Prévost avaient déménagé après avoir habité un immeuble, au loyer trop cher, du 9, avenue de Versailles. Marcelle Auclair gagnant soudain beaucoup d'argent dans le journalisme, c'est le 6 février 1934, jour propice aux chambardements, que la petite famille allait quitter Montrouge pour s'installer, plus luxueusement, au 111, quai d'Orsay (devenu depuis le 68 *bis,* quai Branly), sous la tour Eiffel.

Mais revenons à Montrouge, où Marcelle et Jean initient les lecteurs de *Vu* aux règles de l'hygiène quotidienne. On donne le bain, on coupe les ongles, on nettoie les oreilles, on brosse les dents, on coiffe les cheveux. Maman joue aux montagnes russes avec Françoise, papa fait subir à Michel l'exercice de la brouette, et lui révèle les premiers gestes du boxeur, Alain « médite », les yeux fermés, sur son pot. « Le plus difficile dans la gymnastique enfantine, expliquent le père et la mère, c'est de ramener les petits au calme : rondes à la main des parents, chansons. Sans quoi ils braillent. » Dans ces pages à la fois tendres et didactiques, Prévost et sa femme montrent bien que la qualité d'une éducation repose sur cette loi quotidienne : l'attention portée à leurs enfants. Ils savent les écouter. Quand la nuit les boiseries craquent et les volets battent, l'aîné invoque « Monsieur Cocogne ». La divinité qui préside aux bruits de la robinetterie s'appelle « Mademoiselle Couitte ». Ce sont deux génies domestiques parmi d'autres, et l'origine de la magie. Prévost note sur des bouts de papier, avec indulgence, ces mots de jeunes auteurs. Il est heureux. En père accompli, il se ressemble vraiment.

Marcelle Auclair,
le renard argenté

La lettre, sur papier à en-tête du *Navire d'argent*, est datée du 9 février 1926. Elle est signée Jean Prévost, et elle est désarmante. L'écriture est ronde, propre et – comme dans tous ses manuscrits – sans ratures. Mais on ne reconnaît plus l'animal fougueux, le rieur homérique, le boxeur des cocktails, dans ce ton protocolaire, ni le séducteur excité, suicidaire, sous cette voix soudain si grave.

À vingt-cinq ans, l'auteur de *Tentative de solitude* lève l'hypothèque du célibat. Il s'engage, croit-il, pour la vie avec Marcelle Auclair et une équanimité qui touche ici au bel art. C'est qu'il n'épouse pas seulement la femme qu'il aime, il s'unit aussi à une consœur dont il prétend servir la carrière littéraire. Le jeune fiancé envoie donc cette missive à ses futurs beaux-parents, M. et Mme Victor Auclair.

« Avant de nous engager, leur assure Jean Prévost, nous avons pu éprouver et accroître la solidité de notre affection par plusieurs mois de camaraderie et de mutuels bons offices. Tous ceux de nos amis qui ont pu nous deviner veulent bien nous accorder les plus grandes chances d'être heureux. Pour tout ce qui regarde les sentiments, notre mariage peut leur paraître la chose la plus réfléchie et la plus raisonnable.

« Marcelle veut continuer à Paris sa propre carrière. J'espère pouvoir l'y aider. Si son bon sens, sa vaillance et son équilibre la garantissent mieux qu'une autre des risques que peut courir ici une jeune fille seule, nous pensons pourtant qu'elle peut trouver dans notre union un surcroît de sécurité. Je serais heureux si, en m'accordant votre confiance, vous pouviez la croire aussi aidée et protégée auprès de moi qu'auprès de vous-mêmes. Dans l'ordre littéraire nous pouvons nous rendre l'un à l'autre de continuels services dont l'échange est déjà commencé. Mon seul regret est de ne pouvoir lui apporter dès à présent une situation matérielle brillante.

« Ma carrière littéraire, que j'ai commencée il y a deux ans seulement, sans relations, sans protection ni soutien d'aucune sorte, me donne déjà de quoi subsister sans peine et semble devoir se développer encore. J'espère arriver à une situation solide et honorée que je préfère à la fortune.

« (...) En espérant votre consentement, je vous prie de croire en mes sentiments les plus sincères et les plus respectueux... »

Il y a, dans cette lettre, des mots qui ne trompent guère : l'affection, la camaraderie, les bons offices ressortissent davantage au vocabulaire de l'amitié qu'au lexique de l'amour. Ils doivent aider, selon Prévost, à rassurer les parents de Marcelle, ils présideront également aux destinées de ce couple impatient qui ne résistera pourtant ni aux infidélités itératives de l'homme ni à la clémence excessive de la femme.

Un autre détail frappe, dans cette demande en mariage : le regret, puis le souci, qu'a le futur marié de n'être point assez riche pour assurer d'emblée le confort de la future famille. Quoi qu'il prétende, il ne s'habitue pas à l'idée d'être débiteur. Prévost a la fierté des humbles et l'orgueil mal placé des mâles : pour moitié dans le tiroir-caisse, pour moitié dans la culotte. Dans les années qui suivirent, devenue à Paris l'une des journalistes les plus en vue, officiant toute la journée à *Marie-Claire* où elle apprenait aux lectrices à se laver et à se démaquiller tandis que Prévost écrivait à la maison et prenait le thé avec des demoiselles, Marcelle Auclair gagna beaucoup d'argent. Beaucoup plus que son mari, dont les livres ne se vendaient pas et qui vivait de piges occasionnelles dans des revues pauvres. Cette situation fut insupportable à Jean Prévost. Le jour où Marcelle Auclair acheta une automobile, il lui fit une scène de tragédie. Pour le calmer, elle mit aussitôt la voiture à son nom.

Dans le couple, il était le pugiliste, elle restait, même au front, la diplomate. Il vivait les plaisirs des sports, elle rédigeait la vie de sainte Thérèse d'Avila. Mais pour la galerie, ce couple vraiment moderne rivalisait d'énergie, de liberté, d'insolence : sur leur passage, affolés, les bigots se signaient.

Quand il la rencontre, en 1924, dans la librairie d'Adrienne Monnier, Marcelle Auclair est déjà une jeune femme indépendante. Vierge mais affranchie. Un caractère, somme toute. Élevée en garçonne au Chili, où son père reconstruisait Santiago et architecturait la culture de sa fille, gorgée à la puberté de quelques lectures fondatrices (Montaigne, Shakespeare, Shelley, Keats, Flaubert, Stendhal, Michelet, Taine, Nietzsche, Claudel), elle prit seule, à vingt-trois ans, le bateau pour la France. Dans sa poche, en guise de talisman, une lettre de recommandation signée par Henri Hoppenot. D'une main cardinalice, le secrétaire de la Légation française, et grand ami de Claudel, priait Adrienne Monnier de bien vouloir réserver à Marcelle Auclair le meilleur accueil.

C'est ainsi que la voyageuse pénètre au 7, de la rue de l'Odéon dans la Maison des amis des livres (on en dénombrait en effet 35 000), une librairie fameuse (voisine de la « Shakespeare and Company » de Sylvia Beach) où, autour d'un vieux poêle Godin, soufflait l'esprit et se réchauffaient les écrivains de l'entre-deux-guerres.

La pythie du sanctuaire était tout de gris vêtue, elle avait un sourire généreux, les cheveux tirés, et ce visage poupin des nonnes qui sont nées à la campagne mais n'ont pas connu l'amour des hommes. Aussitôt cornaquée par Adrienne, Marcelle Auclair entre, par la meilleure porte, dans le Paris des belles-lettres. Elle devient l'amie de Valery Larbaud, qui l'encourage à écrire son premier roman : *Changer d'étoile*, et le fait publier chez Gallimard où Marie Laurencin exécute, pour l'édition originale, le portrait au crayon de la toute fraîche et jolie romancière. Martin du Gard, Fargue, Valéry, Paulhan font également fête à la petite Chilienne. Giraudoux la surnomme « le renard argenté » parce qu'elle a « un cheveu blanc pour cent cheveux noirs » : elle est le modèle de Maléna, dans *Le Combat avec l'ange*.

Adrienne Monnier n'est pas seulement le Pygmalion littéraire de Marcelle Auclair, elle joue aussi les marieuses. Directrice du *Navire d'argent*, une revue à la couverture gris carmélite comme ses robes, et au sommaire de laquelle voisinent Larbaud, Giraudoux, Claudel, Romains, Gómez de la Serna, Svevo, Eliot, elle a en effet engagé Jean Prévost, qu'elle appelle « le costaud », comme secrétaire de rédaction. Il aime sa culture, sa vivacité d'esprit, et qu'elle sache faire cuire les truffes sous la cendre. Il goûte les origines paysannes de cette fille de la Ferclaz devenue, sans rodomontades, l'intime de Gide et Valéry. Il tient qu'Adrienne a été la seule femme à « influer » sur lui : « Elle a libéré ce que ma hargne cachait de joie, de santé, voire de vertus sociales. Fidèle, et en même temps toujours prête à se renouveler, d'une loyauté sans pareille, ce vaillant capitaine trouva en moi un second inégal... Avant de rencontrer Monnier, son amie Sylvia, et la cuisine qu'Adrienne préparait elle-même, j'avais composé *Tentative de solitude* et *Plaisirs des sports*, livres sans gaieté. L'année du *Navire d'argent* m'assouplit. Je n'oubliais rien, même pas mes humeurs noires, mes cauchemars éveillés, ma solitude calculée ; j'appris autre chose et me mariai. » *Le Navire d'argent*, esquif trop frêle pour l'océan du grand public, ne vogua qu'une année ; assez pour accueillir à bord, entre autres merveilles, les premières traductions du *Prufrock* de T.S. Eliot, du *Finnegans Wake* de Joyce, et d'une nouvelle de Hemingway.

C'est rue de l'Odéon, donc, que les deux protégés d'Adrienne Monnier – le jeune homme assagi et la jeune fille appliquée – se croisent pour la première fois. Le moins qu'on puisse dire est que ce n'est pas le coup de foudre. La grosse tête, les canines pointues et le ton sarcastique de Jean inquiètent Marcelle, encore sensible aux démons, eussent-ils les yeux bleus et les cheveux blonds. De longues conversations littéraires préludent, sous le signe précautionneux de l'amitié, à l'union morganatique du pilier de mêlée normand et de la pucelle de Santiago. Laquelle finit par céder devant la violence de l'assaut, et la tendresse menaçante du prétendant.

Le 28 avril 1926, à Hossegor, Mlle Auclair épouse en conséquence M. Jean Prévost autour d'une immense omelette norvégienne. Un gâteau symbolique, alliant subtilement la dureté de la glace, la tendresse de la génoise, et le craquant de la meringue. Mariant en outre le froid et le chaud. « Quand on vous voit tous les deux, disait Martin du Gard qui préférait les métaphores animalières aux images culinaires, on songe à une fauvette perchée sur la tête d'un saint-bernard. »

Dans les premiers temps, pour gagner leur vie, Marcelle Auclair et Jean Prévost vendent leur prose à qui en veut : ensemble, ils rédigent jour et nuit des prospectus pour des produits pharmaceutiques ; elle est le nègre de Paul Morand pour une brochure sur les jardins de Paris et pour ses conférences en Amérique latine ; il est l'écrivain public de quelques femmes du monde singeant les Précieuses ridicules, mais aussi l'auteur des discours d'Édouard Herriot, quand il était ministre des Affaires étrangères et voulait convaincre. Puis, à quatre mains, ils donnent aux journaux populaires des articles sur l'éducation, la santé, l'hygiène, et le sport. À *Paris-Soir*, où elle dirige la page consacrée aux femmes, on appelle d'ailleurs Marcelle Auclair « Notre-Dame de la Gymnastique ». Prévost applaudit.

Trois enfants allaient naître dans l'atelier de ces forçats de la plume : Michel en 1927, Françoise en 1929, et Alain en 1930. Nourris au même lait teinté d'encre, ils allaient grandir ensemble dans les livres. Alain publia plusieurs romans, dont *Le Peuple impopulaire*, *Le Port des absents*, *Les Amoureux d'Euville*, *Bonne chance quand même!*, *Le Chalutier Minium*, *Adieu bois de Boulogne*, et un des premiers récits-interviews : *Grenadou, paysan français*, où un cultivateur raconte sa vie au rythme des labours, de la moisson, et du battage. Formé à Princeton, fou d'Amérique et de pur-sang, journaliste à l'A.F.P., séducteur-né, Alain avait quatorze ans quand son père a péri. Il n'avait pas l'âge de se battre, comme son frère aîné, Michel, mais il a connu, dans le Vercors, la rage précoce et impuissante de l'orphelin. Témoin, *Le Peuple impopulaire*, un roman paru en 1956 dont le héros ressemble beaucoup à Jean Prévost, et dans lequel il évoque la geste de ces résistants des montagnes. Livre amer, douloureux, réquisitorial, où il accuse rétrospectivement Londres et Alger d'avoir abandonné les maquisards, où il juge absurde que des hommes aient poussé le sacrifice jusqu'à affronter l'ennemi les mains vides, et où il portraiture un héros courant vers la mort pour échapper au dégoût de survivre à la trahison des puissants, afin de connaître enfin la liberté d'être à tout jamais «allongé dans l'herbe, au creux des rochers».

Plus tard, Michel vint également à la fiction avec *Au-delà du pont*, *De quels amours blessés* et *Deirdre des chagrins* – romans de la passion sentimentale et du voyage cathartique. Globe-trotter invétéré, attaché toute sa vie à combattre la misère dans les pays pauvres, Michel a travaillé pour l'Unesco pendant trente-cinq ans, vécu longtemps en Malaisie et en Irlande. Cet ancien communiste resté utopiste vit aujourd'hui à La Rochelle, face à la mer « prometteuse », où il relit sans cesse Jean Prévost, collectionne les plus beaux couteaux de Thiers, et proclame que Karl Marx n'est pas mort : « Il est là, avec sa barbe, son sourire, son ironie, son courage, son amour de la liberté, sa grande pitié pour les souffrances des pauvres, et son indomptable optimisme. Notre tâche sera moins aride, s'il demeure parmi nous. »

Enfin, Françoise Prévost, qui réalisa, avec le talent que l'on sait, le rêve inassouvi de sa mère : être comédienne, publia des confessions (*Ma vie en plus* et *L'Amour nu*) avant d'être attirée à son tour par le roman : *Les Nuages de septembre* est la saga mouvementée et passionnelle d'une famille de paysans corses – même attachement, que chez Jean, Michel, Alain, à la vie des humbles!

Françoise, que son père avait surnommée « Désespoir frivole », perpétue à elle seule l'union électrique de ses parents : à la fois journaliste et actrice, écrivain et auteur de recettes de cuisine, tête pleine et main verte, insolente et sentimentale dans la vie, forte et gaie devant la pire adversité, elle a la folle énergie de Jean Prévost et Marcelle Auclair réunis. Ceux qui ont vu cette élève de Vilar et de Tania Balachova dans ses meilleurs rôles (que n'a-t-elle joué, depuis *Jean de la Lune* d'Achard jusqu'au *Téléphone rose* de Molinaro, en passant par les films de Kast, Rivette, Comencini, Allio, de Sica!) savent son art de cacher les blessures sous un beau masque tragique et de défier le destin dans un grand éclat de rire.

Il faut l'avoir vue à l'automne 1993 dans *Opening Night* : elle y tient le rôle de Fanny que joua Gena Rowlands dans la version cinématographique tirée par Cassavetes de la pièce de John Cromwell. Dans sa loge, un soir de générale, Fanny Ellis fait son retour dans *La Mouette*. Elle veut narguer ceux qui la raillent, épater ceux qui la plaignent, séduire ceux qui l'ont adulée. Elle a jadis connu la gloire, puis la déchéance : l'étoile s'est imbibée d'alcool. Les amis ont fui avec l'admiration de ses derniers spectateurs. La Ville, grande dévoreuse de tragédies intimes, évoque avec délectation sa carrière brisée. Seul, le fidèle Hector reste près d'elle, vieillissante et douloureuse. Derrière le rideau, le public l'attend. C'est le juge qui décidera de la résurrection ou de l'extrême-onction. Françoise Prévost, qui n'était pas remontée sur scène depuis une dizaine d'années, donne à la douleur de Fanny la grandeur d'une ultime bravade : elle n'affronte pas les spectateurs, mais tutoie Thanatos, et le toise sous ses faux cils.

Alain Prévost est mort en 1971. C'était un dimanche de décembre. Il venait de partir pour la chasse, dans la campagne beauceronne. À peine quitté son presbytère de Saint-Loup – là même où, chaque semaine, il avait mis le paysan Éphraïm Grenadou à la question –, le fusil sur l'épaule, le chien à la botte, il s'écroula, foudroyé par une crise cardiaque. Il avait quarante et un ans. Presque l'âge de son père assassiné.

Françoise et Michel veillent désormais autour d'un caveau de famille trop tôt rempli. Ils ont, en héritage, une rage de vivre peu commune. C'est un clan, les Prévost. On les reconnaît au courage devant la maladie, à l'hédonisme féroce, à une qualité particulière de sauvagerie, à l'amour fou de la littérature, aux colères, au dégoût des honneurs, à certaines plaisanteries de gamins chahuteurs, à la générosité, au besoin fauve de solitude, au plaisir du travail manuel, enfin au culte de parents dont ils ont su demeurer non seulement les enfants, mais aussi les élèves.

Devenus de vingt ans les aînés de Jean Prévost, ils protègent comme un père et une mère l'auteur de *Dix-huitième année*, qui avait bien tort d'écrire : « Si mes enfants veulent devenir eux-mêmes et non moi, il faudra qu'ils me dépassent ou me contredisent. »

Le père Bouquinquant

Le premier roman de Jean Prévost, *Les Frères Bouquinquant,* est publié en 1930. Un an, très exactement, après la parution du *Manifeste populiste* de Léon Lemonnier, à la même époque que l'*Hôtel du Nord* d'Eugène Dabit (qu'il avait d'ailleurs salué dans *La N.R.F.*), *La Rue* de Francis Carco, *Compagnons* de Louis Guilloux, et *Le Pain quotidien* d'Henry Poulaille. Cela suffit à étiqueter Prévost comme écrivain populiste.

Tout ce qu'il avait écrit auparavant, entre vingt-quatre et vingt-neuf ans : *Plaisirs des sports, Tentative de solitude, Brûlures de la prière, Essai sur l'introspection, Merlin, Dix-huitième année, Eiffel,* et des études sur Montaigne, Valéry, Stendhal, attestait pourtant l'irréductibilité de Prévost à une école, et à un genre. Mais rien n'y fit, on le mit dans le moule avec lequel, aujourd'hui encore, certains historiens de la littérature font de gros pâtés.

Sans compter que s'il mettait en scène, dans son roman, des gens du peuple, ça n'était pas pour les réhabiliter, ni par goût de l'ethnologie urbaine ni pour démontrer d'un ton docte qu'ils fussent dignes d'intérêt, mais simplement parce qu'il se sentait proche d'eux. Plus complice de Jules Romains et de Marc Bernard (futur lauréat du Goncourt l'année où il n'y aura plus de papier) que d'André Thérive et d'Antonine Coullet-Tessier, Prévost détestait, dans le populisme appliqué aux belles-lettres, une certaine façon d'endimancher les ouvriers et de flatter les miséreux « comme on tapote la croupe d'un âne ». Il ne supportait ni la démagogie ni la commisération. Seule le captivait la recherche de la vérité. Seule l'attirait cette exigence d'honnêteté qu'il admirait chez Dabit, dont les scrupules littéraires et la qualité d'observation, disait-il, ont fait d'*Hôtel du Nord* un récit « sans rien qui veuille nous élever au-dessus de cette médiocrité, ni l'élever jusqu'au tragique ou à l'horrible ».

C'est l'époque où Prévost est à la fois secrétaire de rédaction du *Navire d'argent* et conseiller littéraire aux éditions Rieder. Un auteur venu soumettre un manuscrit à son jugement lui cède son appartement du 9, avenue de Versailles. En ce temps-là, les immeubles n'avaient pas encore poussé quai Louis-Blériot. Les fenêtres de l'appartement de Jean Prévost et de sa femme Marcelle Auclair donnent donc directement sur la Seine. Chaque jour, il assiste à l'accostage des péniches, discute avec les mariniers, observe leur manière de vivre, de travailler, de voyager, analyse jusqu'à leur « mimique », écoute leurs paroles, et prend des notes. Ces mariniers, il ne les étudie pas froidement, il les suit, dira-t-il plus tard, « avec soin et amour ». En vérité, il découvre l'excitation des enquêtes qui préludent à un tournage, où l'œil plonge comme une caméra, où les mains dessinent dans l'air un cadre imaginaire : il effectue des repérages. En guise de story-board, il brosse en 1928, pour la *Chronique des spectacles*, le remarquable « Portrait d'un pêcheur ».

C'est que l'auteur de *Polymnie* est fasciné par le cinéma, il glorifie cette année-là les miracles du « parlant » dans *La N.R.F.*, et se passionne pour le jeu des acteurs. Prévost imagine alors, espère plutôt (il est endetté), que les *Bouquinquant* puissent devenir, non pas un roman, mais le scénario d'un film. Il ne se trompe pas vraiment : Louis Daquin allait en effet porter le livre à l'écran, d'après un scénario de Roger Vailland, avec Albert Préjean, Roger Pigaut, Madeleine Robinson, Jean Vilar et Louis Seigner. Seulement, ce fut en 1947 ! Dix-sept ans après la sortie du livre, trois après la mort de son auteur.

Pourquoi le cacher ici ? *Les Frères Bouquinquant*, qui fut salué par la critique, vomi par les communistes (le personnage de Pierre, militant qui s'embourgeoise, leur était resté en travers de la gorge), et frôla le Goncourt, n'est pas un grand roman. Prévost lui-même regrettera, en 1942, d'y avoir laissé des « négligences » et « des passages traînants ». Henri Guillemin, qui le tenait au contraire pour « une grande œuvre », prétendait le relire régulièrement, pour prendre modèle. C'est que la qualité des dialogues et la force des images en font un livre qui, de bout en bout, sonne juste. L'intrigue est simple : Léon Bouquinquant et son frère cadet Pierre, issus comme Prévost du pays de Caux, arrivent à Paris, sans le sou, au lendemain de la Première Guerre mondiale. Pierre se trouve un travail de mécanicien dans un garage ; Léon est engagé sur un ponton mobile pour décharger les péniches. Une femme se glisse entre les deux frères, c'est Julie, jeune beauté berrichonne qu'on dirait sortie de l'Indre paysanne du *Sel sur la plaie*. Léon l'épouse, Pierre la désire. Son mari la maltraite, la bat, l'appelle « Torchon » ; son beau-frère la protège et la séduit. Elle lui cède, un garçon naît, que Léon, entre deux crises éthyliques, croit être le sien, mais dont Pierre sait qu'il est le vrai père. Un soir, sur le ponton, les deux frères se battent. Léon tombe dans l'eau noire, et se noie. Julie, qui a tout vu, craignant de rester seule et démunie pour élever son fils, le confie à Pierre et se livre à la police. Son avocat invoque la propension de Léon à boire et à frapper, il plaide, pour sa cliente, la légitime défense. Elle sera acquittée.

C'est quand il écrit en donnant l'impression qu'il filme que Prévost est au meilleur de sa forme littéraire. Les mouvements quotidiens de la grue et de la benne sur le ponton ; le combat de boxe des deux frères au-dessus de la Seine, où chaque geste est décomposé comme la bataille d'Azincourt dans le *Henri V* de Kenneth Branagh ; le café où se retrouvent les mariniers, sifflant des verres de marc et gardant le secret, par noblesse confraternelle, sur l'accident dont ils ont été les témoins ; le procès de Julie, qui s'accuse d'un crime qu'elle n'a pas commis. Voilà d'étonnantes scènes cinématographiques, et Daquin, qui filmait sans grâce mais lisait bien, ne s'y est pas trompé.

Les prévostiens – combien sommes-nous, aujourd'hui ? – ont sans doute des raisons plus sentimentales d'aimer cette première œuvre de fiction. On trouve en effet dans *Les Frères Bouquinquant* tout ce qui obsède cet auteur de presque trente ans, et notamment ceci : comment maîtriser, dans un corps bien fait, une violence instinctive ? Dans *Dix-huitième année*, Prévost s'inquiétait que tous les sentiments forts lui donnent envie de taper. Dans *Bouquinquant*, il illustre, jusqu'à l'excès, cette singulière brutalité, puisque l'amour pousse Pierre non seulement à trahir mais aussi à tuer, fût-ce par accident, son propre frère.

Douze ans plus tard, dans son premier roman, *Les Coups,* l'ouvrier Jean Meckert posera à son tour les questions lancées par Prévost : comment aimer quand on n'a pas appris les mots pour dire l'amour? Comment exister sans singer le bourgeois ni tricher avec ses origines? Les poings remplacent-ils la syntaxe, l'émotion, le verbe, et la boxe, le dico? Le Félix de Meckert, mécanicien que sa franchise promet au malheur sentimental, est un cousin germain des *Frères Bouquinquant* et des personnages de *Lucie-Paulette* – recueil de nouvelles où Prévost signalait en préambule : « Plus complexes, plus particuliers, plus personnels, plus libres que les gens du monde et les bourgeois, les gens du peuple sentent mieux la nature sans la regarder, ils connaissent mieux l'amour qui donne sans demander et, sans leurs routines, leurs silences, ils restent plus jeunes toute leur vie. »

Mais c'est surtout dans ce même livre que Prévost, modèle précurseur du papa-poule, confie à Pierre, resté seul avec son bébé pendant que Julie est en prison, le soin de le langer, de lui donner du lait, de le peser, de le bercer, de le promener. De l'aimer. Et de préparer, avec une maternelle tendresse, le retour de la mère.

Il y a de l'ordalie dans ce roman où, après l'épreuve de l'eau, vient la rédemption par le miracle d'un enfant que réchauffent les mains de son père, d'abord maladroites, ensuite expertes : « Le fils réclama le biberon de bonne heure, il l'obtint; le père fit sa toilette, et revint près du bébé. Le devoir matinal, presque la prière, ce fut, dès le premier jour, de faire rire le bébé aux éclats. Lui remuer les mains, claquer des mains devant lui, rire pour lui suggérer le rire souhaité, rendit à Bouquinquant jeunesse et gaieté. » Le Jean Prévost qui signe ces lignes lumineuses a déjà trois petits enfants, qu'il aime à la folie et d'où il tire, comme Pierre Bouquinquant de son fils, la rage de vivre et une rançon d'équilibre. Ouvert sur un travelling le long des quais, par une lumière cruelle, le roman se referme sur le gros plan d'un bébé heureux et tranquille.

D'un hôtel de Bagnoles, le 17 juin 1930, Roger Martin du Gard adresse à Jean Prévost une lettre régie par le protocole de la félicitation. Il vient de lire les *Bouquinquant*, « un fort et solide bouquin ». Il loue le « maître mathématicien » qui mène les problèmes de psychologie comme s'ils étaient d'algèbre. Mais il ne comprend rien à la fin du roman ; comme d'habitude, il ne comprend rien à Prévost. « Je ne puis éprouver rien de semblable à votre délire paternel, écrit-il. Jusqu'à six ou sept ans, les gosses m'inspirent des sentiments que je n'ose vous exprimer, et où il entre bien souvent une invincible répulsion... Nous bataillerons sur tout cela. » On dirait Martin du Gard d'un autre siècle. C'est seulement que Prévost est vraiment du nôtre.

Quand il commença à rédiger *Les Frères Bouquinquant*, Jean Prévost venait de vivre une terrible angoisse. Michel, son fils aîné, était tombé très grièvement malade. Il le veilla vingt-deux nuits consécutives. Le réconforta. Le soigna avec l'aide du docteur Hector Descomps, à qui le roman est dédié. Pour trouver le courage de lui enfoncer la seringue à injections et résister à l'épuisement des veilles, il avalait, cul sec, des verres d'eau-de-vie. Et il l'accompagna, pour sa convalescence, à la campagne.

Peut-être ce roman étrange, aux muscles trop saillants, à la prose très sanglée, aux personnages sculptés à l'ébauchoir, n'a-t-il été conçu par Prévost que pour lui offrir l'occasion d'écrire ces quelques pages finales, où un homme rugueux et désillusionné apprend la douceur d'espérer, au pied du lit où dort un nouveau-né, sous la charpente d'un toit qu'il a construit de ses mains paternelles, dans le grand et fragile silence de la confiance nocturne.

À nous deux, Paris!

À trente ans, l'homme est fait. Le Prévost qui écrit, avec une rage méthodique, *Le Sel sur la plaie*, ne changera plus, désormais. Tout entier, il s'y livre : stendhalien jusque dans le timbre de la phrase ; doutant, sur le terrain, des vertus de la vie politique ; méprisant la bourgeoisie parisienne ; croyant au sacerdoce du travail et à la rédemption par le sport. On ajoutera, à cet autoportrait romancé qui claque comme un étendard au vent, l'évident plaisir de vaincre, l'ambition de réussir sa vie, le goût de l'action, et cet amour maladroit des femmes où entrent, à proportions égales, la témérité des timides et le romantisme de ceux qui ont trop lu.

À l'instar de Dieudonné Crouzon, Prévost de Saint-Pierre-les-Nemours a connu le dédain des normaliens gourmés et des fils de famille pour le provincial aux allures gauches, aux mains épaisses, qui avait le front de les battre non seulement sur le ring, mais aussi en philo. Comme lui, il a voulu prendre sa *Revanche* (titre initial du *Sel sur la plaie*, quand il parut en feuilleton, pendant l'été 1934, dans les *Annales politiques et littéraires*). Comme lui, coupant soudain avec la capitale qu'il avait cru conquérir, il est parti un beau matin pour l'Indre, afin d'apporter son concours à la campagne du député socialiste Renaudel. Comme lui, enfin, il a rêvé de revenir un matin, plein de forces, de convictions et de trophées, toiser ses adversaires à la terrasse des Deux-Magots pour goûter, avec le café, le parfum persistant d'une vengeance exaucée.

Crouzon, ce n'est pas, tel qu'il fut souvent décrit, un Julien Sorel des années vingt. C'est l'idée que Jean Prévost se fait d'Antonin Berthet : jeune homme solitaire cachant sa fragilité sous des airs combatifs ; pleurant en silence une destinée qu'il peine à maîtriser (combien de fois, sur son lit, ne fond-il pas « en sanglots » ?) ; capable aussi de défier la mort avec une crânerie gamine (le héros du *Sel sur la plaie* donne un pistolet à sa femme pour qu'elle puisse le tuer, si elle juge qu'il n'est pas à la hauteur de son amour).

Accusé à tort, par un de ses condisciples bien né, d'avoir volé son portefeuille, Dieudonné Crouzon, issu d'un milieu modeste, s'estime victime d'une injustice sociale, pis : d'un préjudice moral. De l'incident, il fait un drame, et en tire une morale provisoire. Celle des pauvres qui, sachant que les riches ont pour eux et l'impunité et le droit, décident de les battre, non pas sur les barricades, mais sur leur terrain : celui de l'argent, et du pouvoir qu'il confère.

Pour rentrer dans Paris, tête haute, il faut d'abord le quitter. L'étudiant en droit de vingt-cinq ans part donc pour Châteauroux soutenir, dans le journal local, les candidats républicains : « Le train avait dépassé Vierzon ; il entrait dans le département de l'Indre, celui de la liste de Crouzon. Il se mit à la portière pour regarder les électeurs. » L'image du guerrier, mesurant naïvement le poids de sa charge politique sur le paysage qui défile, n'a pas jauni.

Dans ce Berry encore balzacien de l'après-guerre où le destin et la vindicte l'ont jeté, Crouzon apprend méthodiquement à jouer à la coinchée, à distinguer les agriculteurs (ce sont les gros) des cultivateurs (ce sont les petits), à pénétrer le cercle très fermé de la bourgeoisie locale, et à cacher l'ennui que cette province molle ne laisse pas d'inspirer au rebelle exilé qu'il est devenu. Au *Berrichon républicain*, où son talent de polémiste fait fureur et abat, dans le vitriol, l'adversaire politique, le Rastignac de campagne révolutionne la vieille presse assoupie par la linotype et la routine. Avec des cyclistes, des automotrices, le courrier, il accélère la distribution de l'information et la diffusion de la philippique aux quatre coins du département. « Tout d'un coup, un matin, il sentit sa puissance », écrit Prévost de ce Crouzon qu'il entraîne à la victoire comme le coach, son meilleur boxeur.

Débarqué à Châteauroux pour un scrutin législatif, Crouzon s'installe pour un triomphe de longue durée. Prévost, dont on ne vantera jamais assez la prescience, dresse ici le portrait d'un prince de la communication avec cinquante ans d'avance sur le mot, et la fonction. Crouzon dirige un nouveau titre : *L'Avenir berrichon*, gère une imprimerie, crée un almanach, démarche des annonceurs, invente la publicité murale (« l'idée qu'ils pouvaient tirer une petite rente de ces surfaces inutiles enchantait les villageois »), installe une boutique de téléphonie sans fil, finance l'équipe de sport, lance des camionnettes chargées de journaux sur les routes, embobeline les cantons oubliés de l'actualité, abuse les notables en prétendant servir la cause régionaliste contre la concurrence parisienne, et impose sa loi à Châteauroux en sauvant, sous l'œil hagard du capitaine des pompiers, un garçon du feu. Au cœur de la III⁰ République, Crouzon est l'enfant naturel, et prématuré, de Bleustein-Blanchet et de Séguéla, retouché par Bernard Tapie.

À son cher Dieudonné, Jean Prévost, qui a publié dix ans plus tôt *Plaisirs des sports*, n'oublie pas de prêter une faculté qui lui tient à cœur, et au corps : le souci d'une exemplaire force physique. Elle protège son héros de l'obésité des maquignons, de la mollesse des bourgeois provinciaux, de la prudence des gagne-petit. Elle lui permet d'être un patron populaire, qui tutoie ses employés et court à leurs côtés sur la piste du stade. Mieux : elle préside *in fine* à l'amour de Dieudonné et d'Anne-Marie. Cette dernière, après lui avoir longtemps résisté, a fini par céder comme un bourgmestre devant le général vainqueur : en lui donnant les clés de la ville où il pénètre, si j'ose dire, sabre au clair.

Lanceur de javelot émérite et champion de saut en hauteur, le mari apprend alors à sa femme comment se muscler, se masser, s'assouplir, s'affermir. Comment être bien dans sa peau. Et il lui offre le plus symbolique des cadeaux : un canoë canadien, à bord duquel, aux beaux jours, le couple descend la Creuse. On a déjà dit que Prévost adore le kayak, et que ses longues virées fluviales sont chaque fois l'occasion d'aventures amoureuses. L'auteur du *Sel sur la plaie* ne voit pas de meilleure façon d'illustrer l'idylle d'Anne-Marie et de Dieudonné qu'en les faisant glisser sur l'eau, au fil de ses propres souvenirs d'amant sportif.

Quand il revient à Paris, Crouzon peut contempler, dans le regard de ses adversaires d'autrefois, l'éclat de sa réussite. Il a gagné son pari en province, c'est dans la capitale qu'il en tire, avec ostentation, les bénéfices. Mais est-ce vraiment cela, le bonheur : un compte en banque renfloué à la revanche ? Sur la route de Saint-Germain, un ami rassure Crouzon : « Tu gardes la seule noblesse, celle des parvenus. Ne crains pas les grandeurs. Ceux qui ont hérité ne doutent pas de leur héritage ; ils le voient grand et se voient petits. Mais toi, tu as créé tout ce que tu fais, tu dépasses tout ce que tu as créé. Les inquiétudes te viendront seules. »

Et c'est Prévost qui parle entre les lignes, lui qui s'est fait tout seul, lui qui croyait dur comme fer à l'aristocratie populaire. Celle dont on ne jouit pas en naissant, mais en travaillant. Jean Prévost est peut-être le seul écrivain sous la plume duquel le mot « parvenu » ne soit pas une insulte, mais un hommage rendu au dépassement de soi, à la compétence professionnelle gagnée sur la souffrance et sur une sensibilité exacerbée. En cette fin de siècle qu'il n'a pas connue, la mort de Pierre Bérégovoy eût bouleversé l'intellectuel. Prévost, c'est Stendhal au XXe siècle.

Et comme s'il craignait de n'avoir point été compris, ou s'inquiétait d'avoir abandonné son héros au milieu de son ascension, l'obstiné persiste et signe.

En 1937, trois ans après *Le Sel sur la plaie*, il prolonge la vie de Crouzon dans *La Chasse du matin*. Pour glisser d'un roman à l'autre, il utilise son esquif favori – le canoë. Dans la baie d'Hossegor, sous un beau soleil d'été, Dieudonné et Anne-Marie Crouzon pagaient sans hâte, avec une souplesse chorégraphique. Sur la plage, un groupe de jeunes gens admire la grâce de la femme, la musculature de l'homme, l'harmonie du couple, l'art de filer sur l'eau et l'insouciance heureuse de ceux qui ont mérité leurs vacances.

On est en 1932. Période de crise, de chômage, d'instabilité politique. « Nous sommes la génération de la poisse », se lamentent ces garçons qui n'ont d'yeux que pour Crouzon, devenu à la fois député, riche, et mari comblé. Ils ont vingt ans, il en a trente-cinq. La différence? Leur aîné a conquis le pouvoir juste après la guerre, quand les escaliers avaient des marches. Ce n'est plus le cas. Le krach de Wall Street a mis à plat l'économie mondiale, la IIIᵉ République est gangrenée par les scandales. « Notre civilisation est exubérante et stérile. Civilisation folle, comme on dit herbe folle... » Dannery, jeune diplômé d'architecture, Guitton, qui rêve d'une gloire littéraire, Sainterre, tout droit sorti de Polytechnique, et leurs camarades, enragent de ne pouvoir travailler à réussir. Prévost ne raille jamais leur ambition : il éprouve au contraire de la sympathie pour ces néophytes aux muscles inutiles, maladroits en société comme en amour, qui voudraient que leur vie eût un sens, qui rêvent d'un monde plus juste, et dont le seul malheur est d'être nés en 1912.

Dans la bande égarée, c'est Roger Dannery qui a la préférence de l'auteur. Cet ingénieur des Travaux publics et architecte diplômé dont le talent impressionne un vieux commandant à Hossegor, tient à la fois d'Eiffel et de Victor Auclair. Le jeune démiurge voudrait construire des théâtres, des palais, des villes, changer avec ses mains la société, il en est réduit, pour survivre, à accepter d'être sous-calculateur de conduites d'égout et à édifier un monument aux morts dans la banlieue parisienne. Dannery, c'est un Crouzon sans espérance, et sans moyen de revanche.

Portrait de groupe avec désillusions. Prévost excelle à faire vivre, ensemble, ces pessimistes précoces qui ne manquent ni de charme, ni d'idées, ni de force, mais seulement d'un emploi. Plus que leur modèle, Crouzon va être leur cornac. À la fin du roman, il rassemble la plupart d'entre eux autour d'un projet fou : la création, en plein

95

marasme, d'un quotidien de gauche, *La France nouvelle*. Au lendemain du 6 février 1934, Crouzon signe un éditorial sanglant contre les ligues d'extrême droite. Un soir, un groupe de manifestants attaque le journal. Une lance d'incendie à la main, Crouzon défend son imprimerie, et ses idées. Dans l'échauffourée, il est tué. Les jeunes garçons de la baie d'Hossegor ont perdu un patron, ils pleurent un chef. Les voici adultes, à leur tour.

Dans les ruines de leur journal, qui baigne dans les flaques d'eau teintées de sang et d'encre, Dannery et Guitton préparent rageusement le numéro du lendemain, avec la photographie de Crouzon à la une : « Le visage maigre et autoritaire, sculpté par la lumière, prenait une majesté singulière et lointaine. En quelques heures, il était devenu pour eux un héros, un souvenir. Un personnage complet, achevé. Tout ce qu'ils se rappelaient de lui devenait logique, harmonieux. Inquiets d'eux-mêmes, ils espéraient qu'un jour leur propre mort serait un aussi bon sculpteur. » Lignes bouleversantes, tant elles semblent prémonitoires. Est-ce en effet l'ultime portrait de Crouzon par Jean Prévost ou le sien même, sept ans avant que, à la manière de son héros de papier, l'écrivain devienne pour les résistants « un héros, un souvenir » et, pour ses lecteurs fidèles, « un personnage complet, achevé » ?

Agenouillé devant le corps de son personnage, de son double, Jean Prévost ajoute alors ce paragraphe terrible, qui sonne comme un aveu : « Les autres journaux avaient demandé des nouvelles, surtout par téléphone. L'événement ne serait pas grand pour eux. Crouzon était trop personnel pour devenir un symbole. Il était trop de son temps pour plaire même à ses compagnons de lutte politique. Fidèles à la routine du xixe siècle, ils ne pouvaient voir en lui qu'un franc-tireur audacieux, un rival. L'éloge funèbre, en politique, n'est qu'une occasion de se louer soi-même. Ils n'avaient même pas intérêt à lui faire une légende. »

Ainsi Prévost a-t-il, au terme de *La Chasse du matin*, confié son cher Crouzon, tombé debout et arme à la main dans la fleur de l'âge, à cet immense oubli où les ingrats abandonnent leurs maîtres, et où lui-même allait être jeté, en 1944.

L'encyclopédiste
aux semelles de vent

Par son éclectisme gourmand et ses passions vibrionnantes, le jeune héritier des Lumières indispose ses contemporains, tous destinés à faire fortune dans les lettres. Comme l'Église met au ban un prêtre défroqué, les universitaires lui reprochent d'être entré rue d'Ulm non par ambition, mais pour « être sûr d'avoir du pain » (même Sartre se dit « choqué », dans *Situations*, que Prévost ait osé avouer qu'il écrivait « pour gagner sa vie »!), et d'avoir renoncé à l'agrégation parce qu'il préférait agir qu'enseigner. Les écrivains le jugent trop polygraphe pour être de la famille, et pas assez carriériste pour mériter de guigner des lauriers qui, par tradition, s'obtiennent à l'ancienneté, et au fayotage.

La grande bourgeoisie qui règne alors sur Gallimard et ses dépendances (Gide, Martin du Gard, Cocteau, Maurois, Proust, Larbaud) observe sans grande affection ce provincial désargenté qui signe à leurs côtés et prétend rivaliser avec eux. Et la vélocité de l'écrivain inquiète davantage qu'elle ne séduit. Témoin la lettre que, le 11 décembre 1926, François Mauriac, enthousiasmé par *Tentative de solitude*, adresse à son auteur : « Littérairement, je trouve que vous n'avez rien écrit de meilleur que ce petit traité. Il y a là, ce me semble, un jardin qui est tout à fait vôtre – un lyrisme intellectuel très particulier qui touche à Barrès et à Valéry, sans ressembler à rien. » Mais l'auteur de *Thérèse Desqueyroux* parle aussi de « *cette prodigieuse facilité* qui est ce que je redoute le plus pour vous dans tous les ordres ».

Dans *La N.R.F.*, où chaque collaborateur a une place fixe, chaque chroniqueur une spécialité, Jean Prévost s'applique à slalomer, s'ingénie aussi à exaspérer. Mais quel est donc ce feu follet ? se demandent les notables. Un jour, il loue le talent de l'acteur Adolphe Menjou, un autre, rend compte élogieusement de *L'Amour la poésie* de Paul Eluard. Il apostrophe les dramaturges, tutoie les cinéastes, s'intéresse à la T.S.F., prédit à Marcel Aymé (en 1930) un bel avenir, donne une leçon de démocratie le lendemain du 6 février 1934, et s'insurge contre le retard sportif de la France alors que « tous les peuples européens ont régénéré, par la culture physique dès l'enfance, l'ensemble de leur jeunesse ». Et quand, à la Comédie des Champs-Élysées, il assiste à la générale du *Siegfried* de Giraudoux, il ose terminer sa chronique par un toni-truant : « Il y a peut-être eu, avant la guerre, de l'alcoo-lisme dans le peuple, mais aujourd'hui, le cocktail va faire crever la bourgeoisie. Tant mieux. » Jamais *La N.R.F.* n'avait entretenu, en son sein gracieux, pareil phé-nomène !

En outre, l'intelligentsia des années trente ne lui par-donne pas de vouloir être lu par tous, ni de frotter son talent à des centres d'intérêt aussi suspects que la boxe ou l'architecture. Elle le jalouse d'être passionnément curieux de ce siècle à l'aube duquel il est né et où il compte bien vivre le mieux possible. Elle est d'ailleurs confortée dans son mépris et ses railleries, puisque les livres de Prévost se vendent très mal. Quelque 1 200 exemplaires pour *Plaisirs des sports* (livre à propos duquel l'éminent Edmond Jaloux lâche, dédaigneux : « Je ne peux pas parler de... ça : que voulez-vous ! ça n'est pas de la littérature... »), 4 000 pour *Dix-huitième année*... Le peuple n'est pas au rendez-vous de l'ambition populaire !

Prévost fait mine de n'en point trop souffrir. En bon beyliste, il assure se moquer du présent, qui est mauvais juge, et faire confiance à l'avenir, qui statue avec équité. Il n'ignore pas que les romanciers ayant connu la célébrité au XIXᵉ siècle ne furent ni Stendhal ni Senancour, mais Salvandy, Pigault-Lebrun, Frédéric Soulié, Paul de Kock et le vicomte d'Arlincourt ! Dans un *Traité du débutant* qu'il publie en 1929 (et en postface aux *Conseils aux jeunes littérateurs de Baudelaire*), Jean Prévost certifie d'ailleurs que le public est « bête ». Partant, « tout grand et immédiat succès d'une belle œuvre est le fruit d'un malentendu ». En vérité, il ne souhaite pas être beaucoup lu, mais bien compris. Dans ces mêmes pages thérapeutiques destinées à guider le néophyte, le normalien ajoute ce qui restera toujours son credo : « Pour réussir une belle œuvre, ce n'est donc point à l'œuvre qu'il faut se consacrer exclusivement, c'est à soi-même. Du reste cette méthode est plus sûre. Car si par hasard vos œuvres n'étaient pas tout à fait excellentes, ou ne se trouvaient pas vouées au succès pendant le cours de votre vie, il vous resterait de vous être amélioré vous-même. »

Il a beau se prémunir déjà, en brassant quelques désillusions, contre l'hypothèse d'échecs commerciaux, le doute s'insinue parfois en lui. Il se répète alors ce que, dans *La Chasse du matin*, le jeune auteur Guitton confie à un ami pour se rassurer : « Dans cent ans, deux cents ans, il peut venir devant ce livre un copain qui aime les sports, la vie de l'esprit, les phrases bien serrées; celui-là pensera à moi comme tu y penses. Quand il ramera en mer ou qu'il dormira sous les haies, il se rappellera trois mots; je l'aurai un peu changé, je serai avec lui. »

Les « copains » futurs ont de multiples raisons, cinquante ans après sa mort, de remercier cet écrivain d'avoir existé. C'est que Prévost sait aussi bien traduire Lorca, de l'intérieur, que réfléchir, en polémologue, sur les plans de batailles napoléoniennes; disserter sur les constructions du Tibet que sur celles de la *Chartreuse* ou du *Rouge*; analyser la théorie des quanta que les tableaux de Rembrandt ou de Picasso; illustrer « le menu des ménagères anglaises sans frigidaire ni gaz » que les œuvres de Viollet-le-Duc ou de Gustave Eiffel; diagnostiquer les « maladies fonctionnelles et organiques » que développer « la géométrie non euclidienne »; établir le bilan chiffré, dans *La terre est aux hommes*, des grandes migrations mondiales qu'expliquer, dans *Usonie*, les notions de gènes dominants et de gènes récessifs; désigner « le vrai Haendel » que livrer le secret de Mozart pour « alléger et séduire »; tout en regrettant de manquer de temps pour compléter ses connaissances en sciences naturelles! Il tient enfin les promesses qu'en 1918, sur son bulletin scolaire, son professeur de philosophie au lycée Henri-IV avait ainsi rédigées: « Très bon élève. Très curieux. Passionné de lecture. En possession de solides connaissances qu'il n'est pas encore arrivé à ordonner parfaitement mais qu'il paraît capable d'assimiler méthodiquement quand son esprit aura plus de maturité. » Prévost ne touche pas à tout, il se collette avec tout. Enfin, presque tout. Deux seules matières échappent à ses compétences multiples, la danse et la sténographie: dès dix-sept ans, en effet, il s'était promis de ne jamais céder ni au plaisir de l'une ni aux contraintes de l'autre.

Son arme principale : la mémoire. Elle est digne, chez « le Sanglier des Ardennes » (Gide), d'un proboscidien. Ce qu'il lit dans un manuel de géographie ou un essai scientifique, il ne l'oublie plus jamais. « Il aurait pu, confia Marcelle Auclair, réciter des vers pendant quarante-huit heures, sans s'arrêter. » Autant que son triceps crural de rugbyman, c'est cette mémoire prodigieuse que craignent tant ses ennemis et qui énerve tant ceux qui le croisent pour la première fois. Prévost, c'est l'homme-qui-sait-tout et éclabousse de ses connaissances n'importe quel chaland. D'aucuns y voient de la pure vanité. Ça n'est en vérité que la rage d'apprendre et de comprendre, augmentée du plaisir maladroit d'en remontrer aux imbéciles.

L'encyclopédisme de Prévost n'est pas une façon de paraître, mais une manière d'être. Il veut savoir, pour se connaître. Il lui importe moins d'améliorer sa phrase que lui-même. C'est ce qu'il aime tant chez Stendhal, son modèle : « Le prosateur ne doit se donner qu'un outil, qui est lui-même ; il puise dans son cœur sans cesse fouillé, pétri par lui et repétri. Art d'écrire, art de vivre, art de penser, se fondent en une seule création. » Prévost ne conçoit pas qu'on puisse réussir son œuvre sans réussir sa vie. Ce serait pis qu'un vice de forme : une défectuosité de fond.

De la même manière qu'il prévient, dans ses écrits et son apologie constante de la liberté, la menace hitlérienne, Prévost pressent que le monde va changer, et s'emploie à être de la fête. Il incarne, mieux que quiconque, ce paradoxe de l'entre-deux-guerres : un appétit farouche nourri d'une angoisse permanente. En somme, il se demande comment à la fois fonder un nouvel art de vivre, et comment le protéger contre ce qui, déjà, en menace l'accomplissement.

Sur la révolution de la biologie, de l'astrophysique, de l'ethnologie, des sciences sociales, sur la fonction du corps dans la vie moderne, la place de l'homme dans la cité, la formation intellectuelle de l'enfant de moins de dix ans, sur la communauté européenne idéale, et même sur la télévision (dans un article d'anticipation paru en 1941 dans *Paris-Soir*, il relate une expérience de télé-achat agrémentant la vie quotidienne des ménagères!), il a des décennies d'avance intellectuelle. Témoin, dans les années 1933-1934, sa volubile collaboration à l'hebdomadaire *Pamphlet*, dont la particularité était d'être rédigé par trois seuls écrivains (dont le moins qu'on puisse dire est qu'ils divergeront par la suite): Alfred Fabre-Luce, Pierre Dominique, et Prévost. Ce dernier y donne de longues et passionnelles chroniques sur les élections allemandes de 1933, le plan MacDonald, l'effondrement du capitalisme, le progrès mécanique dans nos civilisations, les méthodes et l'image de la police, les transports en commun, les mouvements politiques des jeunes, le plan quinquennal en Russie, les instituteurs, l'orientation professionnelle, l'industrie japonaise, le contrôle de l'État par les citoyens... Jamais lecteur de Spinoza et de Hérault de Séchelles n'aura été moins avare de son intelligence et plus soucieux de son époque.

S'il se rend aux États-Unis en 1938, ce n'est pas pour faire du tourisme littéraire, pour ajouter à sa bibliographie ni parfaire sa biographie. C'est pour apprendre et comprendre ce dont il a l'intuition que demain sera fait. « Chaque voyage en pays étranger, écrivait-il dans *Dix-huitième année*, commence par une espèce d'enfance; chaque changement d'âge et de condition aussi... » L'érudit normalien se transforme donc en élève attentif. Il rencontre le physicien Robert Andrews Millikan, découvreur des rayons cosmiques, et visite en sa compagnie l'Institut technologique de Californie. Il s'entretient longuement avec le biologiste Thomas Hunt Morgan, spécialiste de la régénération et maître de la génétique à l'Université Columbia. À Washington, il interroge le secrétaire d'État à l'Agriculture, Henry A. Wallace, et sort du rendez-vous avec la conviction qu'il doit importer en Europe ce mot qu'on ne connaît pas encore : l'écologie, et son idéal d'une humanité protégeant sa terre.

Il demande aussi à voir des anthropologues, des sociologues, des astronomes. Mais il ne veut pas rentrer en France sans avoir effectué un pèlerinage au Nouveau-Mexique. Prévost va observer, à Taos, des Indiens vivants. Un songe d'enfant, une ultime balade d'humaniste, avant la guerre qui l'attend, chez les Blancs du vieux continent. « À 3 000 mètres d'altitude, écrit-il, existe un village d'avant Christophe Colomb, et qui est peut-être la véritable capitale littéraire et artistique des États-Unis. » Il précise, annonçant le beau rêve de J.M.G. Le Clézio : « Peut-être l'anticapitale, le pays fait pour réagir contre New York et Chicago, pour représenter l'esprit opposé. C'est ainsi que Ferney, que le Montmorency de Jean-Jacques, ont été un moment les anticapitales de la France ; c'est ainsi que Guernesey, sous le Second Empire, quand Hugo habitait Hauteville House, avait une importance spirituelle égale à celle de Paris. »

À Taos, donc, il est frappé par la joie calme, la nonchalance heureuse des habitants. Dans une maisonnette d'argile, il partage le pain de maïs. Il admire l'art d'un tisseur, observe les jeux des enfants. Il est serein. Et comme nostalgique de sa « réserve » normande, au cœur du pays de Caux. Quand il repart, Prévost note dans son carnet : « L'Indien nous a donné, depuis quatre siècles, la pomme de terre, le maïs, le tabac et la dinde ; il n'a plus rien de matériel à nous offrir, mais il peut nous donner encore une leçon de bonheur. » Ce que Prévost a toujours rêvé d'enseigner.

La lecture d'*Usonie*, recueil d'études sur la civilisation américaine, comme celle de tous ses articles, témoigne surtout que cet écrivain qui n'aime rien tant que la littérature du XIXe dessine, avec un surprenant aplomb, ce que vont être nos modes de vie, en cette fin du XXe.

Dès avril 1926, malgré l'indifférence des élites, et le souverain mépris de son maître Alain, l'admirateur de Charlot (qu'il comparait joliment à un sémaphore : « peu de corps, des extrémités exagérées pour rendre plus clairs tous les gestes ») et de Buster Keaton affirme que le cinéma n'ajoute rien à la littérature, au théâtre ou à la peinture, mais qu'il constitue un art nouveau et à part entière, « art des reliefs, art de lire les émotions " promis à devenir " le plus grand et puissant des arts mimiques ». Mieux encore, l'auteur de *Polymnie ou les arts mimiques*, qui n'oublie pas d'être démocrate, proclame dans *La N.R.F.* d'août 1927 que « l'art de reconnaître les émotions humaines, autrefois privilège du génie, devient, grâce au cinéma, accessible à tout spectateur intelligent ». Plus il entre dans les salles obscures, plus sa certitude se muscle. S'il n'apprécie pas *Étoile de mer* de Desnos et Man Ray, ni la *Jeanne d'Arc* de Dreyer, il trouve à *Entr'acte* de René Clair « la plus vive et la plus animée des poésies cinégraphiques », applaudit *Le Cuirassé Potemkine*, *Un chien andalou*, et s'enthousiasme en janvier 1930 pour le film parlant. Apparaît Gary Cooper, « âme simple qui sent à peine ses forces, faite pour l'action et qui ne le sait pas ; il sera merveilleux, pourvu qu'on le guide ». Puis Clark Gable, « un mélange de coquette et de matelot ; il

105

promet la surprise, et déjà l'amertume ». Enfin Bette Davis, qui « semble couver une maladie invisible, un dégoût de reine, des amours imparfaites, des crimes irrésolus. Si je voulais faire pressentir à un Américain le génie de Racine, je lui dirais : songez au jeu de Bette Davis ! ».

Il ne lui reste plus qu'à aller rendre visite, huit ans plus tard, à la patrie de Walt Disney, « le plus créateur des cinéastes ». Il dresse ainsi, dans *Usonie*, un beau portrait de ce garçon pauvre et débrouillard du Middle West devenu le roi du dessin animé dans une Amérique où il voit « le grand Apprenti sorcier du monde moderne ». Il pressent que Disney va être le maître absolu du jeu sur cette planète. Il annonce Disney World. Un pouvoir féerique qu'en 1938 il juge « moins menaçant et plus souriant de promesses que les puissances mécaniques ».

En architecture, il plaide pour le rationnel et la sobriété. Prévost n'est pas, dans ce domaine, un songe-creux, mais une manière de prédicateur. Certains de ses textes, où il tient que l'ingénieur ne vaut rien s'il n'est d'abord artiste ; où, contre la résurgence des folies baroques et la menace de l'académisme, il rêve d'harmonie, de simplicité, de symétrie, d'équilibre, de lignes pures et verticales à la façon, aujourd'hui, d'un Wilmotte ; où il rappelle que, loin de toute hiérarchie arbitraire, chaque matière a sa beauté ; où, enfin et surtout, il supplie les constructeurs de ne point oublier, contrairement à leurs prédécesseurs du XIXe siècle, que leurs œuvres sont destinées à accueillir des êtres vivants, qu'elles seront habitées, qu'elles ne peuvent pas davantage ignorer « les principes de l'utilité » que la littérature, « la connaissance de l'homme » ; ces textes sont d'une telle modernité qu'ils semblent avoir été écrits de nos jours. Témoin, le recueil de photographies consacré, en 1991, à *Paris-La Défense* par Jean-Marie Chourgnoz. En guise de légendes, des phrases de Prévost, rédigées il y a soixante ans ! Et pas un mot, pas une idée, qui paraissent désuets !

S'il ne doit ses intuitions qu'à lui-même, c'est à son beau-père, le légendaire Victor Auclair, qu'il est redevable de ses compétences. Auclair, dit « Bourbonnais, l'Enfant du progrès », était compagnon-charpentier. Il avait été formé à la fois à l'École d'architecture, aux Ponts et Chaussées, et aux Beaux-Arts. Après avoir participé à la construction d'une des ailes de la gare du Nord, il introduisit en Amérique latine, où il s'installa avec sa petite famille en 1906, un matériau alors révolutionnaire : le ciment armé, et l'appliqua aux constructions asismiques. Dans ces dernières, écrivit-il dans un livre resté malheureusement inachevé, « tous les éléments horizontaux et verticaux doivent être considérés comme œuvres vives, tandis que, dans la construction courante, les éléments verticaux peuvent être considérés comme œuvres passives, c'est-à-dire ne résistant qu'à des efforts de compression ».

Protégeant ainsi les édifices des petits tremblements de terre, les *temblores*, voire du gros séisme, le *terremoto*, il a ainsi édifié, à Santiago du Chili, l'église votive du Saint-Sacrement, la bibliothèque nationale, le théâtre de la Comedia, des chapelles, des abattoirs, des banques, et les premières tribunes de champs de courses sans portants en avant (elles sont toujours debout). « Don Victor » a également signé, au titre d'architecte du ministère de la Guerre, des fortifications entre le Chili, le Pérou et la Bolivie, et les hangars pour avions de Lo Espejo. Les succès d'Auclair étaient à la hauteur de ses belles ambitions : protéger les populations des pays soumis aux menaces sismiques, et les faire vivre dans des immeubles en toute sécurité. « L'Enfant du progrès » avait bien mérité son patronyme compagnonnique.

Retour en France, Victor Auclair s'installa dans les Landes, à Hossegor, construisit de nombreuses villas ainsi qu'un grand pont en ciment armé sur le canal de Boudigan. Quand il est mort en mars 1928, à soixante et un ans, il venait de recevoir la commande d'un pavillon pour le Jardin des plantes de Paris. Ses ouvriers, qui l'adoraient, refusèrent le corbillard et, comme un ultime hommage, placèrent son cercueil sur la charrette des chantiers avant de le porter, à bout de bras, à travers le cimetière de Soorts.

De ses longues et passionnelles conversations avec Auclair, Jean Prévost tire une science, des techniques, et des convictions – celle-ci notamment que le métal et le ciment armé sont l'avenir de la construction. Il prend soin, bien sûr, d'y ajouter sa marque. Son propre humanisme. Construire est un verbe transitif, pas une abstraction financière ni une précaution administrative. « L'architecture reste l'une des manières les plus fières de créer, de rêver, une ambition plus haute et aussi vive que la politique. » Il écrit cela en 1939, dans *Usonie*, au seuil d'un chapitre consacré à Frank Llyod Wright, architecte américain, comme lui disciple de Viollet-le-Duc devant l'Éternel, qu'il compare à un génie de la Renaissance. Dans un pays où naissent les gratte-ciel, ces monuments « d'orgueil démocratique », il tombe littéralement amoureux des maisons à échelle humaine de Wright et partage sa conception selon laquelle le monde extérieur doit entrer dans la demeure, l'intérieur se répandant audehors. Le mur n'est plus un obstacle à la lumière, à l'air, à la beauté. Wright, selon Prévost, a compris l'essentiel :

« La simplicité n'est pas naturelle. » Elle s'invente, elle s'acquiert, comme en littérature.

Cette passion pour l'architecture, et l'ambition qu'il y met, Jean Prévost les illustre à merveille dans son roman *La Chasse du matin* qui – ce n'est pas un hasard – s'ouvre à Hossegor, là même où s'est éteint son beau-père Auclair. Chronique des années trente et d'un temps de crise où le paysage urbain se développe dans le désordre et la laideur, *La Chasse du matin* cerne au plus près les déboires et les illusions perdues d'un jeune architecte et ingénieur, Roger Dannery. On le voit, dès les premières pages, donner la mesure de son talent en résolvant le problème technique d'une cheminée qui fume, chez un vieux militaire reconverti dans l'immobilier, et en lui proposant d'installer une poutre en ciment armé. On l'imagine réussissant une carrière foudroyante, mais Dannery ne trouve pas d'employeur, ni l'occasion d'appliquer certaines de ses idées les plus novatrices. À travers ce jeune héros qui enrage de ne pouvoir mettre sa compétence au service de son pays, c'est Prévost qui s'exprime, un Prévost dépité de constater que ses pairs, les intellectuels, restent totalement indifférents à l'enjeu social, politique, et esthétique, de l'architecture. *La Chasse du matin*, ou le rendez-vous manqué d'une génération avec l'Histoire.

Si Prévost avait publié, en 1929, une monographie de Gustave Eiffel, c'est dans ses tiroirs qu'on a retrouvé, à la Libération, une étude inachevée sur Philibert Delorme qu'il avait dédiée à Paul Valéry – preuve que l'architecture fut sa secrète et constante passion. Prévost n'aimait guère l'homme Delorme, qu'il trouvait vaniteux et bluffeur. Mais il estimait l'artiste du château de Saint-Maur, le rebâtisseur du château d'Anet, le décorateur du tombeau de François Ier en forme d'arc de triomphe. Il vouait surtout un véritable culte à l'inventeur de la charpente qui avait su observer, pour en tirer un parti terrestre, les ventres des navires dans les bassins de radoub normands. « Il a compris mieux qu'on ne devait le faire durant trois siècles, et malgré une matière bien imparfaite, la souplesse, la puissance, l'incomparable économie de matière et d'argent que permettent les constructions par pièces détachées. » Delorme, pour Prévost, fut le précurseur d'Eiffel, lequel résume le siècle, crée des formes audacieuses où glisse le vent, et annonce l'avion moderne. En somme, rapide comme l'éclair, l'écrivain établit le lien entre la batellerie du XVIe et le *Concorde* du XXe.

On pourrait multiplier à l'infini les causes épousées par cet intellectuel que le réel condamne à préférer l'homme au pur concept, et la vie quotidienne à une chasse spirituelle dont l'objet lui semble, pour l'heure, improbable. Il ne renie pas ses maîtres philosophes, il leur demande seulement de lui donner la force d'être utile et tire, de leurs doctrines les plus abstraites, des conséquences pour son usage personnel. Aristote, par exemple. Voici, selon lui, « une morale belle et joyeuse, taillée par des hommes à la mesure de l'homme ».

En 1933, Prévost bataille pour la semaine de quarante heures (« Si le progrès ne crée pas des loisirs aux travailleurs, le chômage technologique, en peu de temps, les mettra sur la paille ») et pour la modernisation des transports en commun. Il met en garde contre le Tout-État et contre un péril qu'il est le seul à pressentir : le régionalisme, par quoi « un groupe d'intérêts particuliers arrive ordinairement à triompher de l'intérêt général ». Mieux encore : il s'inquiète, dès 1934, des progrès de l'industrie japonaise et de sa faculté à imiter, pour la perfectionner, la technique européenne.

Plus on avance dans les articles donnés, pendant l'entre-deux-guerres, par Prévost aux journaux, mieux on voit s'incarner un socialisme idéal, dont celui d'aujourd'hui n'est qu'un piètre succédané, ou une flagrante trahison. La démocratie, pour lui, se réduit à une négation essentielle : « Ne pas remplacer le gouvernement des hommes par l'administration des choses », et à une affirmation cardinale : « Les députés sont les représentants du peuple, un corps élu, et non un corps constitué. »

Faut-il citer davantage Prévost pour saisir l'encyclopédiste qu'il fut, non seulement dans ses écrits, mais aussi sur le terrain? À Lyon, en 1942, alors qu'il dominait « la fièvre des circonstances » et soutenait sa thèse sur Stendhal, il traduisait l'*Histoire de mon cœur* de Jefferies, écrivait une pièce de théâtre, *Les Campireali*, travaillait la philosophie du droit, prenait des notes pour un essai sur la Civilisation Atlantique, « contrôlait » *(sic)* pour un petit traité sa psychologie génétique en lisant Piaget, rédigeait des articles pour *Paris-Soir*, enseignait à ses enfants, et trouvait le temps de distinguer, en les écoutant, le Mozart d'un divertissement, opus 105, et celui d'un concerto de 1778! On pense à Stendhal, alors consul de France à Civitavecchia, écrivant à M. di Fiore, le 1er novembre 1834 : « Que de caractères froids, que de géomètres seraient heureux, ou du moins tranquilles et satisfaits à ma place! Mais mon âme, à moi, est un feu qui souffre s'il ne flambe pas. Il me faut trois ou quatre pieds cubes d'idées nouvelles par jour, comme il faut du charbon à un bateau à vapeur. »

Un autre regret, parmi tous ceux que la destinée de cet homme favorise : qu'il n'ait pas consacré un livre à

Diderot. Comme de Beyle, il en eût parlé en frère d'armes. En héritier de la Raison se moquant du dogme. Car leur combat fut le même : faire avancer, en même temps que la connaissance, la liberté, la démocratie, l'humanité, quand tout les menaçait.

L'intransigeant journaliste

Aujourd'hui, sur la carte des grandes écoles, la rue d'Ulm figure un sas qui, après décompression, mène au professorat universitaire. En vérité, elle est devenue l'antichambre dorée des éditoriaux politiques, des chroniques littéraires, des tribunes d' « Idées », des directions de rédactions, bref, de tous les postes enviés et stratégiques du quatrième pouvoir.

Mais avant la guerre, on n'imaginait pas qu'un normalien pût devenir journaliste. C'eût été déchoir, pour un esprit brillant, que d'ajouter, à la plus haute ambition, la moins digne des compromissions : avec le grand public – cette méprisable nébuleuse. C'eût été impie que de sacrifier, aux plaisirs de l'éphémère, l'édification d'une œuvre impérissable, l'ascension d'une pensée que le réel surchargerait.

D'ailleurs, pense-t-on alors, si les intellectuels veulent absolument s'ébrouer, il y a des lieux pour « ça », comme on dit des maisons : ce sont les revues. On y est à l'aise, et entre gens de bonne compagnie. On y est lu par ses pairs. En y signant, on ne trahit ni sa fonction ni ses prétentions. Ce sont des manières de clubs privés qui ont hérité des salons de Mlle de Lespinasse et de

113

Mme du Deffand, où le fauteuil et la conversation se méritaient.

Prévost ne les boude pas, ces revues : toute sa vie est scandée par des collaborations électives et soignées à *La N.R.F.*, au *Navire d'argent*, à *Europe*, à l'*Europe nouvelle*, à *Confluences*. Il y trouve du plaisir, mais il lui manque le risque. La revue a son protocole et Prévost déteste les usages. L'impétrant trépigne : « Ne s'étonner de rien, ne pas crier, s'interdire les humeurs vives, ne pas singer les passions de la foule, dédaigner les histrions et les tumultes, juger sciemment et sobrement, c'est être un bon stoïcien. Faire tout le contraire, c'est être un bon journaliste. » Prévost tient des deux à la fois : c'est sa force. C'est aussi son tourment.

Alors même qu'il écrit *Les Épicuriens français* et brille à fréquenter, dans leurs livres, Hérault de Séchelles, Stendhal et Sainte-Beuve, Prévost se reproche soudain de n'exercer son talent que dans le confort d'une bibliothèque. Inapte à la sédentarité, l'écrivain s'inquiète du bonheur que procurent, dans un fauteuil, les in-folio et leur parfum d'automne alangui. Il abandonne alors son manuscrit et réalise, en 1931 et en 1932, ses deux premiers grands reportages pour les *Annales politiques et littéraires* : l'un dans l'Angleterre de la crise, l'autre dans l'Espagne républicaine. Ce sont deux longs articles documentés qui attestent la vertu que, déjà, Prévost prête au métier : celle du précepteur de la IIIe République expliquant à ses élèves ce qu'ils ignorent et dénouant, sous leurs yeux, l'écheveau politique des années trente. Tout le contraire de l'écrivain romantique qui, tel le percepteur des contributions directes, va récolter à l'étranger de quoi enrichir son œuvre.

Cet objectif pédagogique, on le retrouve également

dans les articles de critique littéraire, cinématographique, artistique, et même photographique, qu'il donne à *La N.R.F.* et à *Europe*. Ce sont des modèles de ce que, désormais, l'on appelle avec mépris « la vulgarisation » et dont Prévost avait fait le corollaire de son propre humanisme. Jamais il ne cède à cette facilité de la profession qui consiste à briller sur le dos des autres. L'ambition de l'auteur d'*Apprendre seul*, on ne le répétera jamais assez, n'est pas de saisir son lecteur au collet en lui assenant ses goûts et ses certitudes, mais de lui donner du talent. C'est de la maïeutique appliquée à la presse.

Si, en 1931, et contre l'avis de ses amis écrivains, il entre à *L'Intransigeant*, où il signe « Interim » l'éditorial politique et devient chef des informations, c'est parce que ce métier synthétise toutes ses aspirations d'intellectuel en surchauffe et, pourquoi le nier? parce qu'il y voit l'occasion de toucher des lecteurs que l'écrivain de *Plaisirs des sports* enrage de n'avoir point trouvés.

En écrivant des articles au jour le jour, il peut enfin agir : derrière chaque ligne, il y a cette foule anonyme dont il lui semble entendre les inquiétudes, les revendications, les espérances. En traitant sur le vif les sujets d'actualité, il lui faut comprendre les lois de l'économie, la science des relations internationales, et la mécanique de la politique intérieure, auxquelles le jeune spinoziste n'a guère été préparé. En multipliant les catilinaires, le rebelle satisfait son instinct querelleur et savoure le plaisir ambigu de défaire une réputation : il a la fureur émerveillée du jeune Crouzon de *La Chasse du matin*, quand il découvre qu'on peut abattre un candidat politique avec un seul éditorial, pourvu qu'il soit bien troussé, en première page du *Berrichon républicain*. Fabriquant un journal, il joue aussi d'un prodigieux instrument, au

115

moment de sa révolution technique : celle des rotatives offset, de la reproduction de plus en plus nette de la photographie, et du marché, tout neuf, de « la réclame » (relire *Le Sel sur la plaie*). Les années trente sont en effet l'époque royale du « reportage en images », qui met le monde, pour vingt ou trente centimes, à la portée de chaque lecteur.

Rappel des titres : en 1930, Jean Prouvost rachète *Paris-Soir* (qui atteindra les trois millions d'exemplaires à la veille de la guerre), le confie à Pierre Lazareff, et constitue une fameuse équipe de globe-trotters : Mac Orlan, Saint-Exupéry, Vailland, Cendrars, Simenon, et bien sûr Prévost, qui enverra des États-Unis les chroniques rassemblées ensuite dans *Usonie*. En 1931, Gaston Gallimard, déjà à la tête du florissant *Détective* et bientôt patron de *Marianne* (le seul hebdo de gauche), crée le magazine *Voilà*, où Simenon, retour d'Afrique, signe une célèbre charge anticolonialiste et où Artaud publie deux reportages enflammés sur la Chine et les Galapagos. En 1932, le prince des reporters, Albert Londres, disparaît lors du naufrage d'un paquebot parti de Shanghai : c'est grâce à ses articles passionnés et engagés, parus dans *L'Excelsior* ou *Le Petit Parisien*, que l'auteur des *Frères Bouquinquant* a découvert les horreurs du bagne de Cayenne ou la traite des Noirs en Afrique.

Jean Prévost se lance dans le journalisme avec la passion d'informer, d'expliquer, d'éclairer, qui est sa vocation ; avec la haine du « cabotinage » – qu'admire Dannery chez Crouzon dans *La Chasse du matin* –, qui est sa vraie nature. Elle tourne à la mission en période de crises politiques et de menaces extérieures. L'écrivain y trouve même son compte. Il goûte trop le style clair et la pensée directe, il s'exerce assez souvent à la promptitude, pour

116

ne pas tirer, de cette expérience, un singulier parti. Dans son chapitre de *La Création chez Stendhal* consacré à Racine et Shakespeare, il note : « C'est une œuvre de journaliste et que nous devons juger en journalistes. Il n'y a pas de genre littéraire dont les lois soient plus impérieuses : on y est plus près qu'ailleurs des exigences du public. » Ces conventions, auxquelles Stendhal s'astreignait, Prévost les fixe comme des défis sportifs. L'exercice est le suivant : « Persuader le public d'une idée neuve. » Rien n'est plus difficile, rien n'est plus excitant que de convaincre sans les artifices de la rhétorique, sans le recul du temps, sans filet. De *L'Intransigeant* à *Paris-Soir*, l'élève d'Alain s'applique à transformer ses intuitions en promesses : indifférent aux concepts qui ne s'incarnent pas, il les teste sur ses lecteurs. Le marbre est son alambic.

Dans tous ses articles, qu'il serait fastidieux d'énumérer, Prévost cherche des solutions au chômage, développe ses thèses pacifistes, révise à sa manière les droits et les devoirs du citoyen, soutient qu'il n'y a pas de progrès social sans progrès technique, et surtout décrit la montée du nazisme et du fascisme. Il est sans doute l'un des rares journalistes de l'entre-deux-guerres avec Robert de Saint-Jean à donner, de l'Allemagne voisine et menaçante, les meilleures analyses. Il craint les réactions de cet « adversaire abattu » ; il estime même que, pour sauver la paix, il faut « lier les intérêts allemands aux intérêts français d'une façon stable et durable » ; il assène, jusqu'à la naïveté, les vertus d'un idéal européaniste qui vaincrait, dans l'œuf, et *in extremis*, l'idéologie hitlérienne.

Quand il est trop tard, et que l'armée du Reich brise, avec ses illusions, son pays, Jean Prévost garde sa foi dans le journalisme. Pas celui de *Vu*, des *Nouvelles littéraires*, de *Marianne*, ou de *Vendredi*, hebdomadaires des

117

temps heureux, mais celui de *Paris-Soir*, fragile vigie de la zone libre. À Lyon, où il travaille publiquement à son *Stendhal* et se prépare secrètement au Vercors, Jean Prévost rejoint l'équipe de *Paris-Soir* tandis que sa femme Marcelle Auclair, dont il vient de divorcer, poursuit non loin de là, dans un grand magasin désaffecté, l'aventure de *Marie-Claire* où ses conseils de beauté se transforment en exhortations à ne pas désespérer.

Le *Paris-Soir* de l'automne 1940 est un hangar où s'entassent, dans une lumière incertaine, des bureaux de fortune et des personnalités parisiennes en rupture de capitale. On y croise Roger Vailland, Saint-Exupéry, Colette et Françoise Giroud qui, sous l'œil bleu d'Hervé Mille, fait ses débuts dans la presse en s'ingéniant à extraire des magazines américains matière à des encadrés « piquants ». Mais à lire les numéros du *Paris-Soir* en exil, on a l'impression que Jean Prévost fabrique le journal à lui tout seul. Il rédige un feuilleton romancé de l'affaire Berthet, donne des contes et des nouvelles futuristes, explique quelques découvertes scientifiques récentes dans le domaine médical mais aussi dans le monde industriel. Il multiplie les articles pratiques pour lecteurs des temps de crise : comment utiliser sa carte d'alimentation, cultiver son jardin, faire des conserves, pallier la faim par le sommeil. Il détaille aussi les efforts militaires et la stratégie déterminée des armées britannique et américaine. On voit qu'en 1941 le journaliste Prévost s'emploie à divertir, à instruire, mais aussi à encourager.

Jamais Prévost n'a poussé si loin son rôle journalistique que dans les années noires. L'écrivain s'éclipse devant le pédagogue. *Paris-Soir* est son estrade, son école de campagne. Pas l'once, dans sa prose quotidienne, d'une inquiétude qui serait contagieuse, d'un défaitisme transmissible. Quand il ne donne pas dans le vade-mecum, il réconforte la raison qui vacille en célébrant Galilée, Michel-Ange, Montesquieu. Lorsque ses lecteurs nourrissent leurs désillusions de rutabagas, il appelle à la rescousse ses propres aïeux, soldats de France depuis l'empire napoléonien, irréductibles batailleurs normands qui ont résisté au froid, à la dysenterie, et au canon.

Il oppose sans cesse l'universel à l'accidentel, glorifiant le premier, soignant le second. Au cœur du désastre, le chroniqueur de *Paris-Soir* travaille à galvaniser le public avec les méthodes qu'il appliquera, l'année suivante, à ses hommes du Vercors. On se souvient que, dans *La Chasse du matin*, Dieudonné Crouzon, à la tête d'un quotidien de gauche, avait été assassiné par des extrémistes. Prévost y avait illustré cette idée qui lui est chère, selon laquelle on ne saurait mesurer sa passion pour une idée et un métier qu'à la certitude de pouvoir, un jour, mourir pour eux. Ce courage, cette ferveur, que le romancier avait prêtés à son personnage, tombé dans l'imprimerie d'honneur, le journaliste se les réapproprie à *Paris-Soir* : ils le mèneront, à un rythme de rotatives déchaînées, jusqu'aux hauteurs du Vercors.

Le journalisme est, décidément, sa seconde nature. Il aime la rapidité, les défis quotidiens du métier. Cet intellectuel raffiné n'en finit pas de craindre l'autisme de ses pairs. La guerre ajoute à son devoir d'humanisme. Le résistant travaille déjà dans l'ombre à la revanche, le journaliste fait don de sa plume aux Français : l'un et l'autre musclent l'écrivain et renforcent la stature du pater familias. L'homme est multiple, entier, solaire.

À l'automne 1942, il décide d'offrir à ses lecteurs de *Paris-Soir* un feuilleton. Un vrai. Quel meilleur sujet, pour ce stendhalien invétéré, que la fameuse affaire Berthet qui, en 1828, inspira à Beyle *Le Rouge et le Noir* ?

119

Comme son maître en sécheresse feinte, toujours appliqué à prévenir l'émotion, Jean Prévost écrit vite, sans fioritures, sans digressions, le trait nerveux, cette histoire qui, jour après jour, fait frémir des lecteurs de *Paris-Soir* en mal de passions affectives. Notre homme d'action veut de l'action, et il en donne.

Antonin Berthet vit à Brangues (qui est, quand Prévost écrit, le village du Dauphiné où se cloître l'auteur d'une célèbre *Ode à Pétain* : M. Paul Claudel), sous la férule d'un père tyrannique, maréchal-ferrant à la poigne et au cœur durs comme le métal. Parce qu'il lit l'Écriture et souffle le dimanche à l'orgue de l'église, Antonin est en odeur de sainteté : l'abbé Morand a de l'affection pour lui. Il y ajoute de l'ambition. Et le fait entrer au séminaire de Belley.

Mais Antonin a une mauvaise santé et les poumons brûlés par la forge paternelle. Les bons pères lui ordonnent de respirer l'air de la campagne et de retourner à Brangues. Le voici intronisé précepteur des enfants Michoud de La Tour. Antonin est aux anges. Mme Michoud aussi. M. Michoud beaucoup moins. Car le jeune séminariste voue à la mère de ses élèves des sentiments que la morale en général et la rigueur provinciale en particulier récusent haut et fort. Remercié, éconduit, Antonin retourne au séminaire avant d'être à nouveau engagé dans la famille de M. de Cordon, gentilhomme du pâturin. Cette fois, c'est Isabelle de Cordon, dix-sept ans, qui s'éprend du garçon au visage pâle, et aux yeux roux comme le feu, lui tenant lieu de professeur. Antonin repousse les avances de la jeune aristocrate, tant l'obsède le souvenir de Mme Michoud, de ses mains si douces et si longues, de sa tendresse si claire. Mme Michoud à qui Antonin envoie, sans obtenir de réponses, lettre sur lettre.

Un dimanche de juillet 1827, n'y tenant plus, n'écoutant que cette folie intérieure qui le dévore, il s'arme de deux pistolets, entre dans l'église : à l'instant précis où tintinnabule la sonnette de l'élévation, il tire sur la femme qu'il aime de la main droite, et sur lui de la gauche. Ceci est son sang, ceci est mon corps! Deux êtres chauds s'écroulent sur les dalles fraîches, blessés mais pas morts.

L'affaire Berthet fait alors grand bruit aux quatre coins du département. On en parle à Morestel, Bourgoin, Belley, jusqu'à Grenoble. Les femmes frémissent pour cet amant meurtrier et vouent aux gémonies M. Michoud, ce cocu rougeaud. Les hommes, eux, réclament la peine capitale. Antonin est devenu le héros de la plus grandiose histoire d'amour qu'ait jamais inscrite la région à son palmarès sentimental. Le procès accuse le mythe du futur Julien Sorel : la peau blanche, le cou barré par le gros pansement qui recouvre sa blessure, le profil fin, le buste étique, l'enfant du maréchal-ferrant de Brangues savoure, sans la montrer, sa victoire. Lui qui rêvait d'un ministère ecclésiastique, qui prétendait gouverner ses semblables en robe de cardinal, qui mêlait dans son cœur l'ambition amoureuse et la réussite sociale, faisait donc pleurer les bourgeoises depuis le box des accusés et se lever, au nom de la passion, les gens des boutiques. « J'ai tiré sur elle, avoue Antonin au président, pour comparaître en même temps qu'elle devant Dieu. »

La mort, il la dédaigne autant que la justice humaine. Les belles dames de Grenoble élèvent avec ferveur ce mépris au rang de vertu, puis de mystique. Dans sa maison de Brangues, Mme Michoud, elle, se terre, mais suit le procès par l'intermédiaire de son amie, Mme de Marigny, qui lui rapporte, comme un ultime gage d'amour, le fait qu'Antonin ait finalement ignoré si les sentiments qu'il destinait à sa belle étaient partagés, aux seules fins de préserver son honneur.

Antonin fut exécuté. *La Gazette des tribunaux* atteste qu'après avoir prié, il se coucha lui-même sur la planche. La tête tomba et l'Isère trembla.

Ce jour-là, un Grenoblois de Paris, un certain Henri Beyle, commença à tracer les lignes du *Rouge et le Noir*. On ajoute qu'un matin de 1830, la fidèle Mme de Marigny apporta discrètement à Mme Michoud, les cheveux déjà gris, un in-octavo en deux tomes à reliure romantique, et lui tint à peu près ce langage : « Ne le montre pas à ton mari, ma chère, il paraît que c'est ton histoire et celle d'Antonin. » Mme Michoud rangea alors le roman auprès de deux balles de plomb, dans son secrétaire. « Et avant de rencontrer l'immortel Julien Sorel, ses yeux cherchèrent longtemps, dans les braises de l'âtre, le regard étrange et suppliant de l'enfant aux yeux roux. »

Le plus étonnant, dans ce feuilleton écrit d'une traite, c'est que Jean Prévost ne nous offre pas seulement le thème originel du *Rouge*, il le romance à son tour et à sa façon, à l'instar de Stendhal prolongeant et déformant le personnage de Berthet pour créer un Julien plus proche de Beyle soi-même que du condamné de Grenoble. « Si l'on veut suivre pas à pas les récits, les lettres, les déclarations du séminariste Berthet, note d'ailleurs Prévost dans *La Création chez Stendhal*, on verra se profiler un personnage tout opposé à Julien ; un enfant plaintif, vite séduit, vite oublié, un faible qui exige d'être aidé au nom de sa faiblesse, qui hésite, affolé, entre le chantage et la vocation ecclésiastique, qui songe au suicide autant qu'au crime, et dont la foi reste le seul refuge pendant le procès. Berthet est un prétexte. »

En travaillant à restituer la véritable destinée d'Antonin, Prévost cède *in fine* au même penchant que son maître : il s'approche du modèle et ne résiste pas au plaisir de l'idéaliser pour un public qui a plus faim de beurre que de grands sentiments. Et puis quoi, Prévost connaît le *Rouge* par cœur, au point qu'on se demande s'il ne prête pas à Mme Michoud la délicatesse de Mme de Rênal et à Isabelle de Cordon la fougue juvénile de Mathilde de La Mole. C'est, somme toute, l'affaire Berthet écrite par un stendhalien pure race et un séducteur-né qui, défiant déjà la mort dans la France occupée, pleure en silence celle de son fier petit séminariste, deux ans avant d'être déchiqueté, au pied du Vercors. « Un instant après, dit Prévost d'Antonin, il ne souffrait plus. »

Arrigo Beyle, Milanese

Jean Prévost est né stendhalien, il a grandi avec Henry Brulard, et il est mort près de Grenoble où, un siècle et demi plus tôt, le sous-lieutenant au 6e dragons de l'armée d'Italie avait vu le jour.

Son père, Henri, était directeur d'école, géomètre dans l'âme, menuisier et jardinier du dimanche : devenu grand-père, le jour du marché à Yvetot, il habillait, lavait et coiffait la petite Françoise, fille de Jean, avec des mains dont elle n'a pas oublié la douceur de puériculteur.

Sa mère, institutrice, rigoriste, et catholique (tendance oblats de saint Benoît, avec quelques crises cisterciennes), avait choisi comme lampe de chevet un serpent serrant une ampoule entre les dents. Elle tenait l'homme pour « un martyr ambulant », et demandait d'ailleurs à son mari de lui lire régulièrement le Cantique des cantiques. Elle pratiquait l'élevage des enfants, comme une paysanne celui des gallinacés : trop soucieuse de rendement pour y mettre de la tendresse. Elle voyait le mal partout, le péché derrière chaque porte, et doutait de la faculté de son fils aîné, Jean, à y résister. Le jour où il épousa Marcelle Auclair, elle prédit le pire à sa bru en termes soignés : « Je vous souhaite bonne chance ! Jean est un bâton merdeux, on ne sait jamais par quel bout le prendre ! »

Elle avait essayé, pourtant. Lui avait appris à se servir des deux mains. L'avait laissé se brûler avec du pain chaud, au prétexte que la meilleure instruction est l'expérience. L'avait mis à dix ans en pension au lycée de Rouen, où elle venait le voir une fois par mois, sans effusions. Attribuait ses bonnes notes, non pas à son mérite, mais aux neuvaines qu'elle prétendait faire pour son salut, et son carnet scolaire. Et voulait, mordicus, lui inculquer les deux vertus qu'elle plaçait au-dessus de tout : la chasteté et l'humilité. On peut mesurer, à la lecture des pages précédentes, à quel point elle avait réussi.

Du moins lui enseigna-t-elle très tôt à lire, et à trouver dans la lecture de quoi peupler sa solitude et comment calmer ses jeunes ardeurs. À la puberté, son livre de chevet est *Les Martyrs* de Chateaubriand (un auteur dont il reviendra après avoir découvert que, pour « la cime indéterminée des forêts » qui comptait beaucoup d'admirateurs dans son régiment, Stendhal faillit se battre en duel). Comme Julien Sorel, à Verrières, prévoyait d'arriver « à la fortune des choses » en dictant ses sentiments sur les *Confessions* de Rousseau, le *Mémorial de Sainte-Hélène*, et les bulletins de la Grande Armée, l'interne dévore tout ce qui lui tombe sous la main et se fabrique déjà, comme une arme, une phénoménale mémoire livresque. Pour le décrire, on pense tout naturellement à ce qu'écrit Romain Colomb du jeune Henri Beyle : « Dès l'âge de dix ans, il annonça une sorte d'âpreté passionnée... Il était en révolte habituelle contre l'obligation de se dompter, de se plier aux usages imposés par la société. »

À dix-sept ans, Jean Prévost connaît sa première aventure stendhalienne. Ou plutôt sorelienne. Nommé, pendant l'été 1918, précepteur des petits-enfants du peintre Harpignies, à Saint-Privé, il doit enseigner le latin et le français à deux garçons de son âge, mais pas de sa condition. « Je fus inquiet de mes vêtements ; par bonheur, comme j'arrivais à bicyclette, je me dis qu'on n'y penserait pas, et je réussis à n'y plus penser. Seuls mes souliers sur les tapis m'attristèrent, lorsque j'entrai, le premier jour, dans le salon. » Pour cette sortie initiatique dans « le monde » après dix ans d'internat, le jeune Prévost se sent maladroit, emprunté, ridicule. Il souffre de ne savoir être désinvolte, d'ignorer le bon usage, de se croire remarqué pour ce qu'il eût tant voulu déguiser : sa pauvreté.

Le rituel du thé, parce qu'il exige davantage d'expérience que d'élégance – tasse de porcelaine dans une main, sucre et gâteau dans l'autre, visage détendu et conversation légère –, tourne au supplice chinois. Ce jour-là, tout va d'ailleurs au sol, dans un fracas de désastre intime. « Au séminaire, pensait Julien, il est une façon de manger un œuf à la coque qui annonce les progrès faits dans la vie dévote » ; à Saint-Privé, Prévost sait déjà qu'il ne doit pas compter, pour son avancement social, sur le protocole mondain du five o'clock. Afin de soigner sa timidité, le gourd joue alors à l'athlète dans le parc, et pallie son embarras par la montre des biscoteaux. Quand il revient au salon, le muscle à vif, c'est pour déclarer péremptoirement que « Balzac écrit mal ». On éclate de rire. Gêne : « Je rougis si fort que mon cou se gonfla dans le col, et je rentrai en moi, grimaud... »

C'est l'année, justement, où Jean Prévost découvre *Le Rouge et le Noir* (« la meilleure prose française depuis les *Lettres provinciales* », écrit-il dans *Les Épicuriens français*), et rencontre Julien Sorel, pour lequel il se prend

126

d'un amour fou, aux forts accents cathartiques. Précepteur godiche des Harpignies, fils d'une institutrice autoritaire, interne à la violence solitaire et inutile, il s'arroge aussitôt le destin du héros stendhalien, ses ambitions, ses illusions (« Je serai beau sur mon échelle »), ses rêves de revanche sociale (Julien parlant de Mathilde : « La voilà donc, cette orgueilleuse, à mes pieds ! »), son goût – cher à Beyle – pour les bilans codés et les stratégies sentimentales. « Je décidai, écrit par exemple Prévost dans *Dix-huitième année*, que j'aurais une maîtresse, qu'elle serait étudiante, qu'elle habiterait, à un quart d'heure du lycée, au moins une chambre indépendante. » Ce qui fut fait. Grâce à Stendhal, moitié condisciple, moitié cothurne.

Tout au long de sa courte vie, Jean Prévost n'aura de cesse de revenir au maître de l'égotisme, dont il se sent si proche et qu'il appelle au besoin à la rescousse. Il écrit *Le Chemin de Stendhal* à vingt-huit ans, *Les Épicuriens français* à trente, *L'Affaire Berthet, Essai sur les sources de Lamiel*, et *La Création chez Stendhal* à quarante. Crouzon, le héros de ses romans *Le Sel sur la plaie* et *La Chasse du matin*, sort tout droit, en 1934, de la fabrique beyliste. Et en khâgne, à Henri-IV, Alain professe le même enthousiasme que son élève pour Stendhal, qu'il tient pour son « semblable » et son « ami » (*Propos de littérature*). Pas une page de Prévost qui ne soit marquée par l'empreinte de ce romancier dont il aimait tant que ses personnages luttent, avec un air bravache, contre leur trop grande sensibilité.

Et quand sonne l'heure de l'engagement, son modèle, décidément fidèle, est au rendez-vous. C'est en allant consulter les archives de la bibliothèque de Grenoble, un jour de mars 1941, qu'il reçoit en effet, de la bouche de

Pierre Dalloz, installé aux Côtes-de-Sassenage, la confidence de cette espérance folle, l'assomption de l'insurrection : le Vercors! On entend la voix soudain téméraire de Julien Sorel qui, la veille de se rendre à Paris, frémit à l'idée de paraître enfin « sur le théâtre des grandes choses ».

Simultanément, Jean Prévost s'apprête donc à soutenir deux thèses : l'une sur *La Création chez Stendhal* à la Faculté de Lyon, l'autre sur la résistance intérieure dans cette « île en terre ferme », protégée de tous côtés par une muraille de roc, propice aux parachutages, autrement dit à la revanche. Deux thèses plus voisines qu'on ne l'imagine, si l'on accepte un instant de répondre à la question essentielle que trouve Prévost dans *Lucien Leuwen* : « Que faire pour s'estimer soi-même? Tel est le problème du livre; tel est en effet le vrai problème moral qui se pose à un homme comblé. (...) Pour s'estimer soi-même, l'exigeant Lucien ne se contente jamais de ce qui lui est donné. Ces faveurs de la fortune deviennent même des obstacles. Il ne se contente pas de duels et de succès mondains. Il lui faut des preuves d'une force d'âme soutenue; il lui faut même se salir les mains. »

Le 8 novembre 1942, les Américains débarquent en Afrique du Nord, le 9, Prévost se présente devant le jury de l'amphithéâtre Laprade. Il note aussitôt dans son journal intime qu'en fait d'examen, son « attention était à 300 lieues au sud ». Résultat : Mention très honorable.

Docteur en beylisme! Prévost en sourit. D'abord parce que sa thèse, brillantissime, romanesque, et si intime, ne respecte guère l'étiquette du genre : pas d'appareil critique, pas de notes en bas de page, pas de dialectique inutile, et rien de ce ton impersonnel, de ce sabir universitaire, qui caractérisent d'ordinaire les glossateurs, quand ils guignent un grand diplôme. Ensuite, et surtout, parce que devant le jury il n'a pas récité de leçon, il a improvisé et parlé de Stendhal pendant plusieurs heures comme on témoigne d'un ami cher, et disparu, devant ceux qui n'ont pas reçu le privilège de son affection, ni connu le bonheur de sa compagnie.

On pourrait multiplier à l'infini les affinités électives qui, d'évidence, unissent ces deux écrivains : même lutte précoce contre la timidité et la menace d'un ventre; mêmes science de la conquête des femmes, mathématique des sentiments et algèbre de l'insolence; même antipathie pour le provincialisme dont ils sont issus et même mépris pour l'emphase, les préciosités et les modes du Paris où ils voudraient réussir; même conviction d'être incompris de leurs contemporains, auxquels ils ne souhaitent point plaire, si plaire c'est s'apostasier, et même ambition d'écrire afin d'être lus, pour de bonnes raisons, au siècle suivant; même fascination pour la geste héroïque et même dédain pour l'ordre militaire, quand l'armée romanesque devient professionnelle et cérémonielle; même prédilection pour le style qui se fait oublier, même souci de ne rien donner à la phrase qui l'enjolive jusqu'à fausser la pensée; même application à soumettre l'esprit aux faits et le travail de l'imagination aux rigueurs formelles du Code civil; même disposition enfantine à être heureux et même faculté, pour ne point le déflorer ni l'affadir, à sauter le bonheur par écrit; même haine de l'hypocrisie, de l'art de mentir, de la comédie du paraître; même tiraillement, signalé dans les *Souvenirs d'égotisme*, entre le devoir « d'être vrai » et « l'impudeur de parler de soi ». (Mêmes paradoxes politiques, aussi. Quand le Stendhal jacobin écrit : « Je ferais tout pour le bonheur du peuple, mais j'aimerais mieux, je crois, passer quinze jours de chaque mois en prison que de vivre avec les habitants des boutiques », le jeune socialiste révolutionnaire de *Dix-huitième année*, manifestant pour la mémoirè de Jaurès, lui répond en lançant : « Prolétariat, je te suis, je t'estime ; mais je voudrais t'aimer d'amour, et je sens que ça ne vient pas. »)

Mais ce qu'admire le plus Prévost chez Stendhal, et dans son métier, et dans son œuvre, c'est ce pour quoi lui-même n'a jamais laissé de plaider : l'art de vivre, sans lequel celui d'écrire n'est qu'une version, moins fugace mais tout aussi dérisoire, de l'onanisme.

Ce qui lui a toujours rendu étranger le génie de Flaubert, son compatriote normand, c'est la quête de l'excellence littéraire, c'est le sacrifice de toute une vie pour que l'œuvre soit au bout du compte supérieure à son auteur, c'est l'incessante et artisanale obsession de la correction, du fignolage, du nettoyage, c'est le culte du gueuloir, c'est l'œuvre née en plein désert, la rhétorique pure, c'est aussi, puisque tout se paie, l'oblation du corps en marche et l'ablation du monde réel – pour la gloire de saint Polycarpe.

Il aime et admire en revanche chez Stendhal – mais également chez le Voltaire de Ferney, Gobineau, Nerval, ou Hérault de Séchelles – qu'il travaille moins ses manuscrits que sur lui-même, qu'il « rature le vif », qu'il pétrisse et repétrisse davantage son cœur que sa prose, qu'il n'arrête si nettement les caractères de ses romans que pour bien forger le sien. Témoins, les retouches et amendements de Flaubert sur ses manuscrits, qui sont riches d'enseignement, tandis que les corrections que Stendhal apporta, par exemple, à ses exemplaires du *Rouge* n'ajoutent rien à l'étude de son style : ce ne sont, au mieux, que des scrupules de comptable, à l'heure où l'on ferme le magasin.

Pour Prévost, la promptitude dans la perfection n'est pas un miracle, mais la rançon terminale d'exercices quotidiens, de corvées d'apprentissage, de textes inégaux, de badinages, voire de quelques plagiats. Si, quinquagénaire, grisonnant et replet, Stendhal peut rédiger ou dicter en cinquante-deux jours, au 8 de la rue Caumartin, *La Chartreuse de Parme*, dans la jouvence de l'art, ce n'est pas qu'il soit plus inspiré qu'à l'accoutumée, c'est qu'après trente-huit années au cours desquelles il s'est appliqué à « se rendre toujours égal à ses meilleurs moments », le voici enfin capable d'improviser et digne d'être sincère : non seulement « les difficultés d'exécution n'existent plus », le premier trait est le bon, mais aussi la mémoire, dont il se méfiait, l'excite soudain, et l'émotion, dont il craignait qu'elle ne fît trembler sa plume, le transporte – au propre comme au figuré. Il n'illustre pas une passion, il la vit.

La *Chartreuse* est l'apothéose d'une longue énergie dépensée, sans compter, à voyager, à lire, à donner des articles aux gazettes, à tenir un journal intime et une correspondance, à faire des mathématiques, à s'essayer au théâtre, à fonder une « Filosofia nova », à écrire sur la musique, les beaux-arts, ou Napoléon, à prendre la plume chaque matin fût-ce « sans génie », à tenir, au gré des années, les rôles costumés d'adjoint aux commissaires des guerres, d'auditeur au Conseil d'État, d'inspecteur du mobilier de la Couronne, de consul à Civitavecchia, et d'amant. Le mot de Whistler sur un de ses tableaux vaut pour Stendhal : « Je l'ai fait en un quart d'heure, avec l'expérience de toute ma vie. » La victoire de l'artiste ne vient pas du ciel, elle est d'abord obtenue, à l'arraché, sur toutes les difficultés vaincues.

Dès 1931, dans *Les Épicuriens français*, livre éblouissant dans lequel il portraiture également Hérault de Séchelles et Sainte-Beuve, Prévost esquisse, en analysant *La Chartreuse de Parme*, ce que va être le propos, le fondement même de *La Création chez Stendhal* : « Tout ce que Stendhal avait amassé dans son esprit pour être fort, pour jouir et pour comprendre lui restait inutile, après la fin de sa vigueur corporelle, de ses appétits et de ses prétentions – juste au moment où tout cela se trouvait mûr et parfait. Assez inutile, assez mûr et parfait pour n'être plus que de l'art. C'est ainsi seulement (et non point, comme de naïfs admirateurs l'ont cru, à la manière de César) que les qualités et l'expérience de la vie active ont passé dans son œuvre. » Stendhal et Prévost ont ceci de commun qu'ils sont les meilleurs personnages de leurs romans respectifs.

L'auguste jury de Lyon, qui loue en novembre 1942 « une esthétique appliquée de la littérature, celle que Taine conseillait de faire, et n'aurait pas su faire », ignore qu'en soutenant devant lui sa thèse sur un « prosateur qui ne se donne qu'un outil : lui-même », Jean Prévost hypothèque en vérité son propre avenir, et se confesse par prétérition. Car lui aussi s'est astreint, tel son coryphée, à écrire tous les jours, à ne point s'inquiéter d'avoir parfois plus de dons que de grâce, à pratiquer le journalisme impérieux de *Racine et Shakespeare*, à se corriger soimême mais à négliger dans un roman de biffer une répétition ou de réparer une subordonnée bancroche, et surtout, surtout, à bien se garder que son œuvre ne valût pas mieux que lui.

S'il lui advint de vouloir se suicider, ce ne fut pas pour un récit raté mais pour deux femmes rétives. Il plaça souvent son plaisir avant sa fierté littéraire, et toujours sa morale au-dessus de l'imparfait du subjonctif. Il mit autant de style dans son existence que dans ses livres. Et, jusqu'à cette détonnante liturgie universitaire célébrée à l'orée du Vercors, il vécut dans l'attente de sa maturité, de sa récompense, de sa propre *Chartreuse*.

Mais il est mort à quarante-trois ans, à l'âge précis où son modèle signait avec timidité, et quelques clefs, l'improbable *Armance*. Arrigo Beyle, Milanese, était loin, encore, de ses chefs-d'œuvre. Jean Prévost, c'est Stendhal qui n'aurait pas eu le temps d'écrire le *Rouge, Leuwen, Brulard, Lamiel*, ni de vivre, en l'inventant, la destinée de ce joli garçon né pour le bonheur, qui aima Clélia derrière les barreaux de sa prison et connut, lui, la candeur charmeuse de traverser la guerre sans la voir : Fabrice del Dongo.

Les amitiés particulières :
Saint-Exupéry et Fernandez

Sans Prévost, Antoine de Saint-Exupéry n'eût sans doute jamais écrit. Grâce à Prévost, il s'en est fallu de peu que Ramon Fernandez fît, en politique, le bon choix. Étonnants, ces trois destins qui se croisent, et que la mort ravit, à quelques jours d'intervalle, au plus chaud de l'été 1944.

C'est en 1926, dans *Le Navire d'argent*, la revue d'Adrienne Monnier, que Prévost publie le premier texte d'un jeune inconnu, « spécialiste de l'aviation et de la construction mécanique », qu'il avait rencontré l'année précédente chez la vicomtesse de Lestrange, par l'intermédiaire de Ramon Fernandez. Prévost est impressionné par le casse-cou et séduit par cet apprenti écrivain qui va, déjà, droit au but. Il présente ainsi l'auteur de *L'Aviateur* : « Cet art direct et ce don de la vérité me semblent surprenants chez un débutant. Je crois que Saint-Exupéry prépare d'autres récits... »

Trois ans plus tard paraît *Courrier Sud* chez Gaston Gallimard, auprès de qui Prévost s'est empressé de l'introduire. Aussitôt, son ami prend sa meilleure plume et, dans *La N.R.F.*, clame à nouveau pour Saint-Exupéry sa sympathie. Elle tourne même à l'empathie. Indulgent pour quelques « gaucheries dans le récit sentimental, quelques phrases trop faciles, et le discontinu d'un récit qui manque toujours de transition et quelquefois de coutures », Prévost aime sentir dans ce livre un fouet de grand vent et il apprécie que le pilote soit de chair tiède, pas d'acier, ni de bois. Il rêverait enfin d'avoir écrit, pour sa grandeur et sa vérité intemporelle, cette phrase de *Courrier Sud* : « J'ai aimé une vie que je n'ai pas très bien comprise, une vie pas tout à fait fidèle. Je ne sais même pas très bien ce dont j'ai eu besoin : c'était une fringale légère. » Frémissement immédiat et fraternel de Prévost : « Diable, je serais fier d'avoir trouvé ça. »

Plus tard, en 1937 et aux États-Unis où il travaille à ce qui allait devenir son livre le plus visionnaire : *Usonie, Esquisse de la civilisation américaine*, Prévost retrouve son protégé sur la côte Est et le présente à deux éditeurs new-yorkais, Eugène Reynal et Curtice Hitchcock. Fauché, perdu, blessé au visage et au poignet après un accident d'avion sur l'aéroport de Guatemala, incertain de son avenir et de son talent littéraire, Saint-Exupéry demande à son compatriote si quelques articles rassemblés (« La ligne », « Les camarades », « Oasis », « Dans le désert »...) pourraient constituer un ouvrage. Prévost pense que oui, le met au défi, puis au charbon. Certains soirs, pour s'assurer du rendement, et l'accélérer, le cornac enferme à clef son élève dans une chambre. Saint-Exupéry en sort groggy, avec *Terre des hommes*, qu'il dédicace ainsi à l'auteur de *La terre est aux hommes* : « Pour Jean Prévost. Avec toute ma profonde amitié et toute ma reconnaissance pour son aide et pour ses conseils. Pour le remercier aussi d'avoir publié autrefois mes premières pages et – beaucoup plus tard – de m'avoir obligé, en Amérique, à travailler... Dans l'espoir qu'il

135

aimera un peu ce livre, puisque il m'a conseillé de l'écrire... Son ami. Antoine de Saint-Exupéry. »

La rencontre des deux écrivains aux corps massifs semble écrite avant même qu'elle ait eu lieu et qu'elle trouve, dans une mort simultanée, son achèvement glorieux autant que mystérieux. Prévost et Saint-Exupéry ont tous deux le goût de l'action et celui du plaisir qu'on trouve dans l'épreuve, la rigueur, l'exploit. Ils placent l'homme au-dessus de l'homme. Ils ont la certitude qu'écrire est une conséquence, que les mots engagent la vie, et la conviction qu'il faut beaucoup demander au corps pour qu'une phrase soit digne de tenir debout. Ce sont deux moralistes intransigeants qui ont été assez épicuriens pour s'obstiner à placer la barre au plus haut, afin de ne jamais déchoir. On ajoutera le mépris commun qu'ils vouent aux intellectuels, aux politiciens, et aux partis, lesquels se flattent de parler au nom du peuple, dont ils ignorent l'ordinaire. Il y a ainsi, contre les apôtres de la France Libre, une fameuse colère de Saint-Exupéry, que cite Jules Roy, aux forts accents prévostiens : « Leurs phrases m'emmerdent ; leur pompiérisme m'emmerde ; leur ignominie m'emmerde ; leurs polémiques m'emmerdent, et je ne comprends rien à leur vertu. La vertu, c'est de sauver le patrimoine français en demeurant conservateur de la bibliothèque de Carpentras. C'est d'apprendre à lire aux enfants. C'est d'accepter d'être tué en simple charpentier... Ils sont le pays. Pas moi, je suis du pays. »

Quand la guerre éclate, en effet, ni l'un ni l'autre ne répondent à l'appel de Londres. De Gaulle, qui ignora Prévost, en voulut longtemps à Saint-Exupéry de ne pas lui avoir offert, en 1941, l'appui de sa notoriété : le pionnier de l'aéropostale raillait la prétention du Général à incarner, seul, de l'autre côté de la Manche, le pays résistant. Les deux réfractaires, les deux irréductibles, choisissent de se battre sur la terre et dans le ciel de France. Ils pressentent d'ailleurs, l'un et l'autre, que leur fin est proche – et cette intuition ajoute à leur solitude, à leur rage, à leur héroïsme.

C'est à Lyon, sa ville natale, qu'en 1940 Saint-Exupéry – dit « Tonio » – retrouve une dernière fois Jean Prévost, devenu le collaborateur de *Paris-Soir* aux côtés de Roger Vailland et de Françoise Giroud. Le pilote fait découvrir au premier les prouesses acrobatiques dont il est capable aux commandes de son avion. Ils rient, chantent *Carthagène* dont ils connaissent les couplets par cœur, jouent aux cartes, et chahutent comme deux collégiens aux joues rondes. Et l'on pense au portrait sculpté de « Tonio » qu'a laissé son ami dans *Les Caractères* : « J'aime Saint-Exupéry, cette tête en plein vent, ces yeux insatiables, sa pétulance, ses gaucheries, ses mains rudes et rudoyées, son rire émerveillé. Il déborde ; il faut qu'il soit guidé par le danger, l'attention forcée : il pécherait par excès, l'action le simplifie. Fidèles à ses instants les plus accomplis, sa mémoire et son art ne gardent que des minutes nues, éblouissantes – seul artiste en souvenirs qui ne se reconstruise pas. »

Prévost et Saint-Exupéry se promettent de belles parties de plaisir, « quand on aura gagné la guerre ». Ils ne savent pas que, à leur insu, le destin va s'employer à les réunir quatre ans plus tard. Le 31 juillet 1944, l'auteur de *Vol de nuit* décolle de Bastia-Poretta, en Corse, puis disparaît en mission aux commandes de son monoplace, un Lightning P.38, entre la baie des Anges et Saint-Raphaël, et quelques heures plus tard, Jean Prévost va rejoindre, le corps criblé de balles, celui que, dix-huit ans plus tôt, il avait adoubé. Cette noire concomitance est plus que du hasard : presque une nécessité.

Il y a de la gémellité stellaire, et aristocratique, dans les vies parallèles de Prévost et de Saint-Exupéry, mais comme une fraternité blessée dans l'amitié de Prévost pour Ramon Fernandez, mort le 2 août 1944 ! Une mort sans panache, qui ressemble à un suicide. Fernandez avait une maladie de cœur et, pendant la guerre, il s'était mis à boire. On le retrouvait souvent affalé dans le caniveau, devant chez Lipp. De braves gens le ramenaient chez lui. Il noyait sa culpabilité dans le Pernod. C'est que Fernandez avait fait le choix opposé de Prévost : Doriot était son père spirituel, le P.P.F. sa famille. Il n'a pas eu le temps de survivre à celui que, dans son engagement idéologique, il avait trahi.

28 avril 1926, mariage religieux, à Soorts-Hossegor, de Marcelle Auclair et de Jean Prévost. Sur la photographie prise à l'Hôtel du Parc, deux témoins entourent, au garde-à-vous, les jeunes épousés, sous un soleil de plomb. Elle : robe blanche ornée de rubans de lamé argent – tout ce qu'elle aimait. Lui : smoking et col dur – tout ce qu'il détestait. À la droite de Jean, étique dans son costume trop court, l'air un peu gêné sous le grand front chauve, cachant dans son dos un chapeau et une canne, regardant l'objectif de biais : François Mauriac. À la gauche de Marcelle, dans un bel habit de lovelace sud-américain, des gants beurre-frais à la main, la pose avantageuse, le cheveu gominé, la lippe boudeuse, l'œil noir fixant droit le photographe : Ramon Fernandez.

C'était le play-boy de la N.R.F. Il allait animer les Décades de Pontigny en coupé sport. On ne pouvait pas être plus chic. Une peau mate, une carrure de culturiste, et beaucoup de repartie, Ramon Maria Gabrié Adéodato

Fernandez de Artéaga était d'origine mexicaine, et diplomatique. Il avait soumis ses premiers vers à Robert de Montesquiou et son premier roman « sur le délicat problème de la pédérastie » à Marcel Proust. Il avait conquis les jeunes filles en fleur de la bourgeoisie parisienne dans les années vingt en glissant, exotique et langoureux, sur les parquets cirés du boulevard Saint-Germain et de l'avenue Foch. La mode était au tango, surtout depuis que l'archevêque de Paris, au carême de 1912, l'avait formellement interdit à ses ouailles. Ramon Fernandez le dansait à la perfection. « Comme Dieu le père », s'exclamait Vladimir Jankélévitch, ébaubi.

Il aimait la France, l'alcool, les jeux de société, les dîners en ville, le soleil et la route, qu'il descendait l'été à tombeau ouvert, dans de rutilantes fuoriseries, pour « aller contempler l'Italie d'un rocher derrière Monaco ». On l'a vu un jour, au volant d'une superbe Bugatti, piler rue de Grenelle et enlever le pieux Charles Du Bos qui – par précaution ou excitation? – s'était emmitouflé dans un plaid d'Écosse : mieux qu'une virée, une manière de débauche! C'est que l'élégant sigisbée en savait autant sur les pistons d'une Voisin et d'une Isotta-Fraschini que sur la syntaxe de Montaigne, et s'en flattait. Il partageait avec Morand l'ivresse de la vitesse, avec Proust l'inquiétude du souvenir, avec Bergson l'intelligence intuitive, et avec la princesse Bibesco le plaisir des mondanités inutiles. Il passait des séances austères du comité de lecture de Gallimard à des vacances chez la comtesse de Castries, villa du cap Nègre, avec une légèreté de ballerine. Il eût pu être un gigolo craquant, il fut un intello brillant.

Chroniqueur à *La N.R.F.*, où il était entré en 1923, fondateur avec Berl de l'hebdomadaire *Marianne*, auréolé en 1932 d'un précoce prix Femina pour un roman justement oublié : *Le Pari*, Fernandez fut, avec Prévost, le critique le plus estimé de l'entre-deux-guerres. Une nuit, Marcel Proust débarqua à son domicile et le pria d'épeler à haute voix, et lentement, « senza rigore », pour l'introduire dans *À la recherche du temps perdu*. Sur Proust, précisément, mais aussi Molière, Balzac, Gide, il publia des essais lumineux, lança bien avant Sartre le concept de « message », et inaugura une analyse littéraire fondée à la fois sur la psychanalyse, la philosophie, l'histoire, l'esthétique, et même la caractérologie. « C'est la première fois, reconnut Gide, qu'on me tend un miroir où je peux voir une image de moi-même complète et non déformée. »

En Prévost, Fernandez découvrit un complice. Tous deux aimaient séduire, provoquer, dérouter. Et vivre vite ! Ce fils d'un ambassadeur sud-américain aimait chez Prévost qu'il incarnât la France, sa culture, sa joie de vivre, de façon si rayonnante. L'athlète normand admirait chez Fernandez sa faculté, jusque dans l'exil, d'être si maître de son destin : « Il a été un enfant inculte, puis un jeune homme mondain et fort brillant, écrivit Prévost en 1932. Un jour, cela ne lui a pas suffi. J'aurai vu, dans ma vie, des boxeurs colosses se mettre à l'entraînement comme de petits garçons, et Ramon Fernandez se mettre à dévorer et à digérer toute la littérature, toute la philosophie de l'Europe occidentale. Des piles de livres, des piles de notes d'une petite écriture serrée, et un Ramon en robe de chambre qui, à cinq heures du soir, n'avait pas encore démarré de sa table de travail. »

Ensemble, les deux compères de *La N.R.F.* et de *Marianne* parlaient de leur passion commune : Stendhal, mais aussi d'Alain. Fernandez lui fit découvrir la littérature anglaise, Prévost l'initia à la poésie allemande – quel ironique chassé-croisé d'influences! Dans les années vingt, le cœur de Ramon Fernandez battait encore à gauche. C'est Jean Prévost qui, en 1925, le persuada d'adhérer à la cinquième section (École normale supérieure) de la S.F.I.O. C'est peu dire que les deux jeunes premiers étaient proches, liés par Blum et soudés par Beyle. La photo jaunie du mariage de Prévost, béni par Fernandez, illustre cette belle amitié qui paraît défier le temps.

La littérature les avait réunis, la politique allait les séparer. L'exercice critique, où excellait le dandy Fernandez qui se définissait comme « un demi-barbare d'Amérique », il aura simplement négligé de le pratiquer à son endroit. Le moralisme, qu'il admirait chez Vauvenargues, il pensait que c'était un art, au point d'oublier qu'il s'agissait d'abord d'une vertu. En juin 1937, Prévost apprend, atterré, que son ami Fernandez, qui avait flirté dans *Commune* avec les révolutionnaires, vient de rejoindre le P.P.F. de Doriot. Six mois plus tard, l'apostat cosigne avec Abel Bonnard et Drieu la Rochelle un manifeste profranquiste aux intellectuels espagnols appelant au « rétablissement d'un ordre fondé sur la morale ». Pendant la guerre, Fernandez est du voyage à Weimar, propage sur les ondes de Radio-Paris les thèses purificatrices de l'homme nouveau, donne sa signature à *La N.R.F.* de Drieu (il est présent au sommaire de tous les numéros, jusqu'en juin 1943!), à *La Gerbe* d'Alphonse de Chateaubriant, et à *L'Émancipation nationale* de Doriot. Pendant que Prévost fait, pour la Résistance, de discrets aller et retour entre Lyon et Paris, Fernandez dépeint et interviewe avec flamme Pucheu, Brinon, Déat. Il siège dans les meetings du P.P.F. : engoncé dans son uniforme, chemise bleu clair, baudrier fauve, béret basque, l'œil inquisiteur dardant sous de petites lunettes rondes, il ressemble à un officier putschiste. En avril 1942, alors que Prévost travaille avec Alain le Ray et Costa de Beauregard à l'organisation d'un Vercors « offensif », Fernandez participe sans broncher, dans une salle du Quartier latin, à une séance publique où, sous la présidence d'Abel Bonnard, le professeur Montandon demande que les Juifs de France soient enfermés immédiatement dans un ghetto jusqu'au moment où ils seront refoulés en bloc dans un pays d'Orient! Ni la rafle du Vél' d'hiv' ni l'hystérie croissante de Doriot ne pousseront Fernandez à quitter le P.P.F. Il est mort à cinquante ans dans son lit, éthylique comme par dégoût de soi, sans avoir renié sa faute, sans la moindre trace écrite d'un regret, d'un remords, échappant de justesse à l'ordonnance terrestre.

Il avait du charme, il le dilapida. Il avait écrit des essais « prospectifs », il les promit de lui-même à l'autodafé. Il croyait à l'alliance révolutionnaire de la philosophie et de la psychanalyse, il sacrifia ses intuitions d'esthète au pire aveuglement idéologique. Il voulait être un nouveau don Quichotte, il se trompa de moulin. Il était doué d'intelligence. Mais avec l'ennemi.

Une fois encore, je regarde cette photographie de mariage. 1926, image arrêtée. Elle me fascine. Aux côtés d'un Mauriac déjà vieux – a-t-il jamais été jeune? –, Prévost et Fernandez symbolisent la jeunesse triomphante : ils ont les épaules larges sous leurs habits de fête, ils savent qu'ils plaisent, on les sent prêts, pour de grandes causes, à conquérir le monde, à tomber sur la même barricade, sous le même étendard, le même jour. Qu'est-ce qui destine l'un à devenir le capitaine Goderville, l'autre à être un lieutenant fasciste de Doriot? Le premier à mourir pour ses idées, le second à les sacrifier à une illusion nauséabonde, une idéologie assassine? Qui tient donc les fils? Qui commande l'aiguillage?

Le 5 août 1944, il n'y avait pas grand monde pour suivre les obsèques de Ramon Fernandez. On enterre mal les coupables. Un seul écrivain prestigieux se déplaça ce jour-là au cimetière Montparnasse, narguant courageusement les juges de l'épuration : François Mauriac, avec canne, chapeau, et fidélité, dernier survivant d'une photo à jamais déchirée en deux.

Parmi les nombreux articles de presse qui saluèrent, en 1951, la réédition au Mercure de France de la thèse de Jean Prévost, *La Création chez Stendhal*, j'ai retrouvé un article dithyrambique : « Ce livre est un chef-d'œuvre de la critique contemporaine. (...) On découvre là des traits aigus qui sont d'un romancier, d'un moraliste de la grande souche. » Il est signé Dominique Ramon Fernandez, qui n'avait pas encore écrit *Dans la main de l'ange* mais y avait déposé ces lignes, en ajoutant le prénom de son père à cet ultime hommage rendu au stendhalien assassiné.

Michel,
le Gavroche du Vercors

Dans la douceur du dernier printemps noir, un garçon de seize ans rejoint, essoufflé, la Maison Maurin où habite sa famille, au nord de Saint-Agnan. Il s'appelle Michel Prévost et il a lu, chez Rousseau, que « les premiers mouvements de la nature sont toujours droits ». Il revient de Lyon à vélo. Il a passé les épreuves du baccalauréat dans cette ville où, deux ans plus tôt, Jean Prévost avait soutenu, avec succès, une thèse sur *La Création chez Stendhal.*

En cette année 1944, la lumière verticale du mois de juin donne au Vercors une intraitable pureté. Michel sait que, là-haut, dans la montagne silencieuse et tutélaire, son père organise depuis des mois la résistance armée. Pour les maquisards, qui ignorent le statut d'écrivain de leur chef, c'est simplement le capitaine Goderville – nom de la bourgade normande où son père, Henri, est né. L'officier a du charisme, l'homme impressionne. Sa force animale, son agilité d'escrimeur, sa science polémologique, son courage, son humanité, et même sa joie de vivre travaillent déjà à sa légende. On se dispute son autorité, on se réclame de lui. La tunique kaki déboutonnée et la chemise ouverte plaident en outre pour un esprit libre qui ne supporte pas le cérémonial militaire et qu'indiffère le prestige des galons. Il ne parade pas, il se bat. « Goderville et sa compagnie se trouvèrent toujours, dira plus tard Pierre Dalloz, aux points de la plus grande conséquence et du plus grand risque. »

Le 8 juin, deux jours après le débarquement allié en Normandie et l'appel de la B.B.C. destiné aux résistants du plateau (« le chamois des Alpes rebondit »), le colonel Descour, qui commande la région, fait appliquer le « plan Montagnards ». L'ordre de mobilisation réveille au crépuscule un Vercors à l'affût. Des volontaires arrivent des campagnes avoisinantes : les effectifs passent de 1 000 à plus de 3 500 combattants. Cinq compagnies sont formées, dont celle du capitaine Goderville, postée sur la ligne de Saint-Nizier : 300 hommes, dont beaucoup d'ouvriers, d'étudiants et de typographes du *Petit Dauphiné*, un mortier britannique, des mitrailleuses légères et des fusils-mitrailleurs. Un armement de fortune, dans l'attente illusoire du matériel lourd, des munitions, et de l'aviation qu'Alger et Londres, on le sait, n'enverront jamais. Relire Aragon : « *Roland sonne du cor/C'est le temps des héros qui renaît au Vercors.* »

Le 9 juin, Michel Prévost décide de rejoindre son père. Quelques mois plus tôt, une photo prise à Saint-Agnan a immortalisé leur amour, épaule contre épaule, fierté partagée, et ce même « front de petit buffle » dont Mauriac, qui n'était pas musclé, gratifiait l'auteur de *Dix-huitième année*. Son fils Michel a un visage d'ange mais des mollets d'acier et, au ventre, la haine précoce des nazis. C'est l'anti-Lacombe Lucien. Il veut en découdre. Ce jour-là, le gamin de seize ans entre, au pas de charge, dans l'âge adulte. C'est un Prévost.

Le matin du 9 juin, donc, Michel marche jusqu'au pont

de la Goule Noire où, profitant d'un transport du maquis, il est conduit à Lans. Là, il rencontre Roland Bechmann (le gendre de la seconde femme de Jean Prévost) qui l'avertit : « Ton père te fait dire de rentrer à la maison. Les parachutages alliés n'ont pas eu lieu, et les choses vont mal tourner. » Mais l'adolescent ne cède pas à l'injonction, et poursuit sa route jusqu'à Saint-Nizier. Le soir, dans une ferme, Jean tombe sur Michel. Surprise, émotion, embrassades. Et cette belle phrase, en guise d'adoubement : « Curieuse chose, lui dit-il, que d'avoir son fils pour frère d'armes ! »

Pendant trois jours, les deux Prévost repoussent, côte à côte, les assauts de la 157ᵉ division de Gebirgsjäger venue de Grenoble et forte de 500 hommes. Vingt-sept ans les séparent, mais dans le feu, la ferveur et le cran, ils ont le même âge. Jean mène la troupe, Michel – à qui le brevet de secouriste vaut d'être nommé infirmier – ramasse les blessés. Surpris par la résistance des Français, les Allemands se replient sur Grenoble. « Bravo Goderville, lance le colonel Huet, vous leur avez montré de quel bois vous vous chauffiez ! » À l'hôtel Revollet de Saint-Nizier, Jean et Michel Prévost fêtent, avec quelques officiers, cette éphémère victoire. On est le 13 juin 1944. Jour exact de l'anniversaire de Jean Prévost.

Le 15 au matin, la bataille reprend. Ou plutôt la guérilla. Jour après jour, l'ennemi gagne du terrain. Goderville sait qu'il ne doit pas compter sur l'aide alliée, que le Vercors se bat seul, et qu'il lui faut en outre trouver la force de galvaniser ses hommes. Une phrase de Lucien Leuwen résonne dans sa tête, et la réchauffe : « L'essentiel, pour une âme comme la vôtre, est de payer noblement votre dette à la patrie ; l'essentiel est de diriger avec esprit vingt-cinq paysans qui n'ont que du courage. » Il s'y emploie avec génie. Et quand tombent la nuit et la désillusion, à l'insu de la troupe, l'athlète sort de son sac tyrolien sa vieille machine à écrire, tape quelques pages de son essai sur Baudelaire, et s'endort en relisant les *Essais* de Montaigne dans l'édition de la Pléiade, tordue et fripée par l'effort, qui ne quitte pas la poche de sa vareuse.

La dernière fois que Michel voit son père, dans toute la plénitude de sa force, c'est à Méaudre, le 14 juillet 1944. Tandis que Jean Prévost part installer son P.C. à la ferme d'Herbouilly, son fils rejoint la compagnie Brisac, où il s'illustrera dans la forêt de Coulmes en sauvant un lieutenant blessé – il sera, à la Libération, l'un des plus jeunes titulaires de la Croix de Guerre. Quinze jours plus tard, on lui annonce que le capitaine Goderville et quatre de ses compagnons sont tombés sous la mitraille nazie, à l'aube du 1er août, au pont Charvet. Le corps criblé de balles, le visage méconnaissable, l'auteur de *La terre est aux hommes* gît, à quarante-trois ans, dans le lit rocailleux du torrent, qui devient ainsi pour lui l'Achéron.

Aujourd'hui, Michel Prévost a des cheveux gris, mais il parle encore de son père en l'appelant « papa ». Si le temps a gonflé sa tendresse filiale, s'il a prolongé l'éclat funèbre de l'été 1944, la double ingratitude des Français à l'égard du héros Goderville et du formidable écrivain Jean Prévost a renforcé son admiration sanguine. À la veille du XXIe siècle, Michel, avec l'aide de sa sœur Françoise, fait toujours de la résistance. Contre l'insupportable amnésie d'un pays qui n'en finit pas de célébrer Drieu, Brasillach, Céline, et d'ignorer Prévost. Il interpelle les éditeurs, les historiens, les intellectuels. Il réclame qu'on réédite la trentaine de romans, essais, récits, nouvelles de l'esprit le plus prodigieusement libre de l'entre-deux-guerres. Il a pris le maquis littéraire et se bat, jusqu'à la « libération » de cette œuvre.

Michel Prévost est de belle lignée. S'il écrit à son tour des romans, ce n'est pas pour se mesurer à son père, c'est pour le retrouver dans l'écriture comme il l'a rejoint dans le Vercors : les yeux fermés, le cœur battant. C'est pour vivre, au plus près, la passion de celui qui lui a tout enseigné. Y compris la modestie. Michel cite de mémoire la dédicace que Jean lui a écrite sur un exemplaire de *La Création chez Stendhal* : « J'espère que tu trouveras dans ce gros ouvrage la clef du métier de Stendhal, du mien, du tien peut-être un jour. Il y a aujourd'hui quinze ans que je t'aime. Papa. » Les romans de Michel sont la promesse tenue d'un fils à son père, dont le destin a voulu qu'il devînt – au jour où nous écrivons ces lignes – l'aîné de vingt-trois ans !

« Il y a comme une bénédiction de papa sur mon travail d'écrivain, dit Michel aujourd'hui. Je n'arrive pas à écrire sur lui, mais j'aime écrire sous son influence. J'ai eu la chance, pendant l'année scolaire 1943 à Voiron, de l'avoir comme professeur à moi tout seul. Il m'a initié à ce qu'il aimait. Il m'a fait un plan de lectures très strict : tout Montaigne, sauf l'*Apologie de Raymond de Sebonde*; les *Confessions* de Rousseau; Platon; et le *Tibère* de Tacite. En latin ! Il m'a appris aussi la marche, le sport, la nature, l'humour, le bon usage des calembours... Et surtout la droiture. Et puis encore la force et le courage. »

Ce sont deux vertus familiales que ce père excellait à illustrer en racontant volontiers la geste des Prévost issus de Goderville et de Fécamp. Il y eut ainsi le grognard de Napoléon blessé au mollet par un « Biscaïen » pendant la guerre d'Espagne à qui l'Empereur remit non seulement la croix, mais surtout des outils de cordonnier, qu'il préférait à la médaille; il y eut le fameux Jean-Baptiste qui reçut un éclat d'obus, dont la plaie aurait été flambée à la poudre par ses camarades de batterie, et qui tua d'un coup de marteau un taureau qui était entré dans sa boutique de cordonnier un jour de foire; il y eut Henri Prévost, le père de Jean, qui jonglait dès potron-jacquet avec des poids de vingt kilos, qui soulevait, assis sur sa chaise, sa sœur Madeleine (98 kilos!) et la posait négligemment sur la table, et qui repoussa en 1914 un raid de uhlans avec une unité armée de vieux chassepots et de fusils de chasse à un coup; et quelques autres phénomènes dont Jean Prévost disait qu'ils étaient connus pour « leur force herculéenne et leurs idées avancées, la première soutenant les secondes ».

Il convient d'ajouter, à cette liste, le Gavroche du Vercors devenu grand, Michel Prévost, dont les colères n'ont d'égales que les rires, héritier d'une dynastie cauchoise qui exulte dans l'action et croit, dur comme fer, aux vertus de l'humanisme. Pendant trente-quatre ans, de 1949 à 1983, Michel a travaillé pour l'Unesco, autrement dit l'Organisation des Nations unies pour l'éducation, la science et la culture. Cette institution, fondée en 1946, née de la victoire alliée, on la dirait tout droit sortie de l'esprit de Jean : alphabétisation des pays en voie de développement, diffusion d'un enseignement pluridisciplinaire, recherche scientifique, protection du patrimoine, lutte contre le racisme... On ne s'étonne pas que Michel y ait consacré sa vie. Bon sang ne saurait mentir.

L'un des romans de ce fils aimant, *Deirdre des chagrins*, s'ouvre par une scène cauchemardesque : le héros est devenu amnésique dans un pays étranger. Et comme si le destin s'acharnait sur Nicolas Berger, victime d'une chute de cheval dans la campagne irlandaise, la police le soupçonne d'avoir tué un riche éleveur avec un fusil de chasse, modèle Darne, calibre vingt. Demander sur son lit de douleur qui l'on est à l'infirmière, s'en étonner, puis apprendre qu'on est menacé de quitter l'hôpital pour la prison : ce n'est plus de la malchance, c'est de l'acharnement. Suffit-il de retrouver ses souvenirs pour trouver un assassin ? À partir de ce meurtre et de cet accident, où l'on voit la maréchaussée collaborer avec la Faculté, Michel Prévost tisse les fils d'une singulière histoire policière : les femmes y occupent les rôles-titres, les destriers figurent d'imprévisibles acteurs de complément. C'est le lent, long et sinueux réveil de la mémoire que, dans son troisième roman, Michel Prévost décrit le mieux. Cet amoureux de l'Irlande excelle à désigner les parfums, les couleurs, les matières qui participent de cette résurrection : une odeur persistante de tourbe brûlée, des écharpes de brume au-dessus des prés, un corps de femme près d'un feu de bois, des effluves de fougères écrasées et de chevaux mouillés, le souffle du vent, le bruit du lointain ressac, et cette « plainte aiguë, tremblée », venue de la colline... *Deirdre des chagrins*, c'est le journal d'un homme seul, désespérément seul, qui retrouve en même temps que le goût de se souvenir celui de survivre à son passé, dans des paysages qu'on dirait rouillés par les larmes.

Cela fait un demi-siècle que, chaque été, les effluves sucrés et la lumière vierge caressant les campagnes de France réveillent, chez Michel Prévost, la mémoire du Gavroche blond qui montait vers le plateau du Vercors, où l'attendaient la gloire de résister et, malgré la peur de mourir, la fierté d'un père.

La grotte des Fées

D'une Boyard maïs, Simon Nora tire de longues volutes de fumée et une improbable sérénité. Je ne sais ce qui lui pique plus les yeux, du tabac brun ou de l'émotion contenue, ce matin-là. Cinquante années n'auront donc pas suffi à cautériser la blessure. Quand je lui ai demandé de bien vouloir me recevoir pour évoquer Jean Prévost, il m'a paru heureux qu'on tentât de réveiller, du sommeil de l'oubli, cet homme « pétri de talent et fou de courage » qui fut son modèle, qui est resté son idéal.

Mais quand nous nous retrouvons, dans le bureau silencieux et impersonnel d'une banque internationale, Simon Nora peine à plonger dans son passé. « J'ai scotomisé cet été-là », m'avoue l'ancien conseiller de Pierre Mendès France, en guise de précaution d'usage. On eût dit qu'il se répétait en silence les mots de Prévost, dans *Les Caractères* : « L'homme courageux est pris par l'action à faire, il ne se voit pas ; le vrai courage, aisance exaltée, habitude de l'imprévu, est presque sans mémoire et impossible à raconter. » Comme si, secrètement, Nora rêvait d'amnésie. Mais les souvenirs sont là, précis, présents, et ineffaçables.

Simon Nora est, en effet, le seul rescapé de la grotte des Fées. C'est là, au-dessus du hameau de la Rivière, surplombant une vallée de la forêt de Darbounouse, que le capitaine Goderville et quelques-uns de ses hommes ont trouvé refuge, à la fin du mois de juillet 1944. Les Alliés avaient débarqué en Normandie, ordonnant aux maquis de sortir de la clandestinité et de passer à l'attaque. Sans l'aide promise, abandonné mais intrépide, le Vercors avait alors livré son ultime bataille. Les quinze mille soldats allemands du général Pflaum avaient cerné le massif, puis étaient montés à l'assaut. Six cents maquisards et quelque deux cents civils furent tués. La compagnie Goderville, que Nora, âgé de vingt-deux ans, avait rejointe durant l'été 1943, éclata, comme un fruit trop mûr, sur la plaine des Sarnas.

Pour la petite dizaine d'hommes qui entoure Jean Prévost, la grotte des Fées mérite son nom. Une entrée étroite, une caverne rocheuse de deux cents mètres de profondeur, et un lac souterrain : on peut donc s'y cacher, y vivre, et y apaiser sa soif. Dans l'enfer, une manière de paradis provisoire, à huis clos. Conduite par deux maquisards originaires de Saint-Martin, l'escouade en fuite va s'y installer pendant plus d'une semaine. Sans savoir que c'est la dernière.

Au début, les hommes s'organisent pour survivre, tuent des moutons qui paissent non loin, font des orgies de fraises des bois et de mûres sauvages. Mais les patrouilles allemandes rôdent à l'entour, et la crainte d'être découverts incite les maquisards à ne plus sortir de la grotte. Le visage défait, le front bas, parlant peu, Goderville ne se ressemble plus. Il cesse soudain d'être « le chef ». La foi l'a quitté avec la débâcle, l'apostat abdique de son charisme. « Insolemment clairs dans ce

152

visage bronzé », ses yeux qui avaient tant frappé Nora le premier jour de leur rencontre, sous le feu d'une mitrailleuse allemande, ses yeux ont perdu à la fois l'éclat et la rage fauve de vaincre. Il souffre terriblement de la faim, de la dysenterie, de l'inaction, de ne pas avoir de nouvelles de sa femme et de ses enfants, dont Michel, son fils chéri, son vaillant « frère d'armes ». Et il porte au fond du cœur, comme un échec intime, la chute du Vercors. Lui qui était si ardent à mener sa troupe au combat, si prompt à narguer la mort, répète dans cette prison de rocaille humide : « On va crever! » Il tente plusieurs percées, en vain.

Simon Nora, un soir, le pousse aux aveux. Il sent bien que son capitaine épuisé cache un autre homme. Goderville esquisse un malheureux sourire. Il ne sert plus à rien de tricher. Sortant soudain de son mutisme, il décline sa véritable identité. Jean Prévost apparaît sous ce grand front las. Pendant quatre jours, tous deux parlent de Stendhal, de Montaigne, des *Épicuriens français*. Mais discrètement : Goderville ne veut pas que ses autres camarades se sentent laissés de côté, Prévost ne veut pas que l'éclat de son passé le distingue. « Ces rares et rapides conversations lettrées, si éloignées du drame que nous vivions, m'ont marqué pour la vie », dit Simon Nora, ajoutant aussitôt : « Par-dessus tout, Prévost regrettait de ne pas pouvoir finir son manuscrit sur Baudelaire. Il avait caché son sac tyrolien, avec des papiers et sa machine à écrire portative, et il aurait au moins voulu profiter de ces journées d'enfermement pour y mettre la dernière main. »

Les jours passent, les hommes sont à bout. Le groupe décide de quitter la grotte le 29 juillet. Simon Nora part rejoindre sa famille à Méaudre, et devra la vie sauve

153

aux planches vermoulues d'un pont sous lequel il se dissimule et sur lequel passent les troupes allemandes. D'autres prennent la direction de Romans. Jean Prévost et quatre de ses camarades (les lieutenants Jean Veyrat, Charles Loisel, André Jullien du Breuil, et le sergent Alfred Leizer) ont choisi de gagner Grenoble, armes au poing. Le 1er août, à sept heures du matin, ils descendent les gorges d'Engins. Il fait plein jour quand, jaillissant d'un petit chemin ombrageux dit le Pas-du-Curé, les cinq hommes arrivent au pont Charvet. Le village de Sassenage est à cinquante mètres. D'un côté, la falaise, de l'autre, le torrent. Un vrai piège. Les Allemands, qui patrouillent, ouvrent aussitôt le feu sur le petit groupe. Tous sont tués. Le soleil éclaire d'une lumière crue les cadavres abandonnés : celui de Prévost, visage défiguré, gît dans le lit du torrent, où l'athlète s'est écrasé après avoir effectué, par-dessus le parapet, son dernier saut. Avec un tombereau tiré par un cheval, des habitants de Sassenage ramassent les corps mutilés (les assassins ont coupé leurs doigts, afin de récupérer les bagues en or) et fabriquent une croix de Lorraine en bois qu'ils plantent droit, sur le lieu du massacre. Plus haut, dans la forêt de Coulmes, un gamin de seize ans apprend que son père a été tué et hurle à la mort, pendant trois jours, au fond d'une tranchée.

Cette mort demeure mystérieuse. Comment un soldat aussi aguerri que Jean Prévost a-t-il pu se jeter, en pleine lumière, dans un pareil goulot d'étranglement ? A-t-il été induit en erreur par des miliciens déguisés en paysans lui assurant que le passage du pont Charvet était libre ? Était-ce simplement l'effet de la fatigue accumulée qui atténue la notion de risque et endort les réflexes ?

Pas à pas, Michel Prévost a refait le chemin de son père. Il a interrogé la fille de Mme Veyret, seul témoin oculaire du drame. « Dans la région, lui a-t-elle dit, on a toujours trouvé bizarre qu'ils soient passés par là : dans la gorge, ils n'avaient en effet aucun espoir de s'échapper. – C'est vrai, lui a répondu Michel, mais ils étaient à un bond de Sassenage, où ils avaient une planque. Il n'y aurait pas eu la relève allemande à ce moment-là, ils étaient sauvés. »

Simon Nora qui, par miracle, est passé à travers les mailles de l'ennemi, tient pour sa part que, parvenu à l'acmé de l'épuisement et de la désespérance, ayant perdu sa faculté de résister, usé dans son corps et blessé dans son cœur, il advient qu'un homme se jette dans la gueule du loup. Une manière de suicide inconscient. De martyr involontaire. Déjà, dans la grotte des Fées, Jean Prévost avait cessé d'être Goderville, cet insolent héros qui partait au feu en écrivant : « *Pas un regret ne m'importune. / Je suis content de ma fortune / J'ai bien vécu. / Un homme qui s'est empli l'âme / De trois enfants et d'une femme / Peut mourir nu.* » L'on ne saura jamais si, descendant par roches et par bois vers Sassenage, l'auteur de *Maîtrise de son corps* courait vers la liberté, vers la mort, ou les deux à la fois.

En février 1933, dans l'hebdomadaire d'Alfred Fabre-Luce *Pamphlet*, Jean Prévost écrivait, au nom de Goethe, de Schiller, de Heine et de Brecht, cette bouleversante prière : « J'aime encore les Allemands... Mais ces Allemands, pendant que tu dis les aimer, ils veulent te tuer. Et que m'importe après tout ? Je ne serai pas tué par ceux-là que j'admire, et je ne risque guère de me tromper sur eux. Celui-là même qui veut me tuer, qui fond des armes en ce moment dans quelque cave, et s'apprête peut-être à passer le Rhin, j'ai encore aujourd'hui le droit et le devoir de lui pardonner, de ne voir en lui qu'un aveugle ou un insensé. »

Quand l'intuition préside avec sérénité à la bravoure, et que s'y ajoute la grandeur d'âme, cela s'appelle la grâce, tout simplement. « Je voudrais payer à ce jeune mort la dette du vieux survivant, murmure aujourd'hui Simon Nora, en donnant à mes enfants envie de le lire. »

L'amateur de poèmes

Si Jean Prévost a tant écrit – trop, selon ses contempteurs –, c'est parce qu'il s'est beaucoup exercé. Par atavisme, il doutait de ses dons en particulier, de l'inspiration en général. La corvée plutôt que la doxologie. Parce que, autrefois, ses parents et ses maîtres lui avaient fait croire qu'il était disgracieux et assez paresseux, il s'aimait laborieux, et plaidait les vertus de l'effort. Ce n'était pas de la fausse modestie mais, au contraire, l'ambition enjouée de sa propre perfection. « Jamais de ma vie, note-t-il dans *Dix-huitième année*, je n'ai pu rester heureux un jour sans travailler. » Ce que confirme M. Jacquet, son professeur de cosmographie en terminale, au lycée Henri-IV : « Très bon élève, a toujours travaillé *avec goût*. »

Dans son œuvre publiée, qui ne prétendait point aux trophées, il y a donc de la gymnastique, de la vocalise, du croquis, du canevas, et du parcours du combattant. C'est que, tel le champion se préparant aux jeux Olympiques, il s'était fixé un but : être digne, un jour, d'improviser. Mériter d'avoir sa voix naturelle. Il avait même arrêté précisément la date en confiant un jour à André Chamson qu'il serait un écrivain d'après la quarantième année. Mais le destin ne voulut pas que son rêve d'une vie entêtée se réalisât. Que Fregoli obtînt enfin le rôle-titre qu'il avait mérité.

L'ultime signe de cette rançon qu'il attendait de tant d'efforts apparaît dans son journal intime, à la date du 6 décembre 1942. Il raconte avoir écrit les trente-six premières pages d'un roman, *Cette petite vie*, qu'il ne finira jamais. Et il note ceci : « Dans ce début, mon style m'étonne : plus imagé, plus nuancé qu'autrefois. Je sais mieux exprimer des impressions obscures. Mais je crains que la vigueur et surtout l'élan ne me manquent. » Il avait donc gagné le pouvoir d'exprimer ce qui ne se dit pas. Il n'avait plus d'illusions sur son avenir d'homme, mais il était heureux d'avoir touché à son but d'écrivain.

L'autre exemple, chez Prévost, de cette détermination à attendre le grand jour est donné par la poésie. Il a toujours passionnément fréquenté les poètes. Il aime Virgile, Hugo, Fargue, « la pensée de guêpe » de Valéry, « la parole masticatoire » de Claudel, « les doigts délicats comme des étamines » de Saint-John Perse, et Baudelaire, sur lequel il écrit, dans le Vercors, quand la nuit est calme, son dernier essai, resté inachevé. Baudelaire à qui il doit cet idéal : « Chercher à vaincre l'inexprimable, à montrer l'obscur et l'invisible, à faire chanter les choses muettes. »

Prévost répète volontiers que l'homme a besoin de poésie « pour régler son cœur ». Il croit même à une poésie inspirée par la chanson populaire et lancée sur les places aux jours de marché, prenant soin de préciser : « En Espagne comme en France, populaire est le contraire de vulgaire ; la poésie populaire est l'amie du mystère, de l'image hasardeuse, de l'extrême brièveté. Nous n'avons pas encore eu de Lorca. » Il connaît des milliers de vers par cœur. Mais il repousse sans cesse l'hypothèse d'en

158

écrire. Dans ce domaine, se défend-il, « je ne suis qu'un artisan ».

Pour mieux observer l'art de ses maîtres, il traduit. Du grec, du latin, de l'allemand, de l'espagnol, comme de l'anglais. Il trouve le rythme court qui convient au « Über allen Gipfeln » de Goethe, préfère la prose aux vers pour donner à entendre la « Prière aux Parques » de Hölderlin. Il découvre « L'Anthologie de Spoon River » inspirée à Edgar Lee Masters par les épitaphes des cimetières américains, qu'il traduit avec flamme, la veille du grand incendie : « *Je suis tombé en criant, une balle dans les boyaux : / Maintenant, j'ai un drapeau sur moi dans Spoon River : / Un drapeau, un drapeau !* » Ses plus belles empathies, il les vit avec Federico García Lorca, que Marcelle Auclair traduisait littéralement, et qu'il adaptait poétiquement. C'est que, d'emblée, il a saisi « la sensualité, la légende, le mystère, la magnificence de la cruauté » chez l'auteur de *Noces de sang*. Un lettré chinois, M. Liang-Tsong-Taï, l'initie même aux élégies d'Extrême-Orient. Ses émerveillements de traducteur, on les sent à chaque page de *L'Amateur de poèmes*, paru en 1940 dans la merveilleuse collection « Métamorphoses », que dirigeait Jean Paulhan.

C'est alors que la guerre éclate. Mobilisé au Havre, puis réfugié à Cherbourg, évacué enfin vers Casablanca en juin 1940, Jean Prévost, sur le pont brimbalant d'un navire de fortune, écrit des poèmes. Ses premiers poèmes, qui seront aussi ses derniers. Les éclats d'obus ont vaincu les ultimes réticences de « l'artisan ». Le moratoire est levé. Le soldat défait sent désormais qu'il a rendez-vous avec ce qui ressemble de plus en plus à la mort : il est trop tard pour penser à la liberté d'écrire, trop tôt pour imaginer la longue résistance du Vercors. Il n'est plus Prévost, pas encore Goderville. Dans l'urgence, il devient poète.

« Le poète qui pour nous a du souffle, c'est celui qui nous en donne », écrit-il au début de son *Baudelaire*. Et il le prouve. En mer, le 12 juin, il adresse à Claude Van Biéma son « Petit testament » : « *Pas d'étendard avec ma chiffe / Que l'officiel et le pontife / Taisent leur bec; / Vous-mêmes, ce matin d'épreuve, / Mes trois enfants, et toi ma veuve / Gardez l'œil sec.* » Tout Prévost est là. Il supplie qu'on l'oublie, souhaite seulement qu'un canot à double pagaie porte son nom, et qu'on sache seulement qu'il aimait assez la vie pour supplier sa femme de prendre, au bout d'un an, « un autre amant... ».

Pendant les saisons que, sans les compter (ce serait « juger le feu par les cendres : niaiserie! »), il lui reste à vivre, c'est-à-dire à se battre, Jean Prévost égrène quelques poèmes de même facture, comme le Petit Poucet les cailloux pour signaler son chemin dans la forêt des ombres. Ce sont des poèmes simples, aux images claires, de cette veine « populaire » qu'il célébrait avant-guerre. Ainsi l' « Épiphanie 1943 » : « *Aujourd'hui les Rois / – Sans gâteau ni fève – / Sois ma Reine, sois, / Mon Réel, mon rêve, / L'éternité brève / L'Étoile et les Rois! / L'espérance chaude / Au cœur de l'hiver / Sois ma Reine Claude, / Mon âme et ma chair.* » Ne manque que la musique, en effet, pour avoir une chanson. Plus le conflit s'éternise, plus Prévost promet à sa femme le grand bonheur des retrouvailles, et de longs voyages d'amoureux : nager à Mykonos, cueillir des raisins en Italie, paresser à Tolède...

Le soir de Noël 1943, au pied de la montagne décisive, Jean Prévost écrit son ultime poème. Il est plein de paix. Il a la douceur des flocons silencieux sur la dure terre d'hiver. « *Le ciel calme est beige / Et la neige / Adoucit les bords / Du Vercors. // J'entends chanter l'âme / De la flamme / Aussi doucement / Qu'un amant. // L'épaule endormie / De Claudie / M'offre son coussin / De satin. // Mon sourire plonge / Dans le songe / Sous des rideaux lourds / De velours. // Et j'aborde en rêve / À la grève / Où brillent les feux / De tes yeux, // Tranquille marine / Qu'illumine / Sans ombre et sans Nord / Un ciel d'or, // Où ta douce haleine / Frôle à peine / Les lys de la mer / Au sein clair. // Le sable est de soie / Et ma joie / Rayonne aux clartés / Des étés; // Et la vague lente / En mourant / Rythme et chante / L'éternel instant.* »

Ainsi, au seuil de mourir, pendant ces années d'angoisse, de courage et de défi quotidiens, Prévost a retrouvé – ses poèmes l'attestent – ce que, durant sa courte vie d'adulte, il n'avait pas laissé de chercher en canoë-kayak, en Amérique, au cinéma, dans l'amour, sur un ring, et auprès de ses trois têtes blondes : son âme d'enfant. L'âme de ce jeune Normand qui dormait au bord des falaises et sur les plages, se laissait bercer par le vent d'ouest, observait les étoiles, jetait des pierres dans l'eau, suçait des coquillages et ne trouvait, pour soulager sa tête, que son « incroyable sauvagerie » – le maquis de l'allégresse.

Optimiste rémittent, il lui arrive d'imaginer qu'une fois la guerre finie, il s'installera à Yvetot, y aménagera le grenier en bibliothèque, redessinera le salon, vivra heureux entre son père, ses enfants, et sa terre, qui lui ressemble : c'est un plateau massif, où la tendresse des limons dissimule la dureté du silex, battu par la mer, et riche en craie, avec quoi l'on écrit parfois de belles histoires. Il faut arpenter le pays de Caux, ses vallées humides, ses forêts de hêtres, ses vieilles fermes en torchis et colombages, ses bourgs élevés autour de la place du foirail, pour faire revivre le Prévost du début de siècle, impatient de vivre dans un monde qui va être bouleversé. On peine à réaliser qu'il a grandi entre le village de Goderville où, dix ans plus tôt, Maupassant avait situé l'action d'une de ses nouvelles (*La Ficelle*), et la ville d'Yvetot d'où, vingt ans plus tôt, Flaubert avait fait venir, pour le mariage des Bovary, un pâtissier chargé de tourtes, de nougats, et d'une pièce montée baroque « qui fit pousser des cris » aux noceurs.

Car Prévost est à la fois l'héritier musclé de ces paysans en blouse bleue se rendant tranquillement au marché de Goderville, de cette « aristocratie de la charrue » qui, selon Maupassant, sentait fort l'étable, le lait, le foin et la sueur, qui tâtait les vaches avec perplexité, « épiant l'œil du vendeur, cherchant sans fin à découvrir la ruse de l'homme et le défaut de la bête », et celui qui annonce les plus grandes révolutions industrielles et mentales de la seconde moitié du XXe siècle. C'est un personnage de Stendhal né dans un paysage flaubertien et développé dans un conte de Maupassant dont Malraux eût écrit la fin.

Mais dans le Vercors, le capitaine cauchois ne pense guère à sa postérité : il réveille à son insu l'enfant qu'il fut, quittant Montivilliers à bicyclette, et glissant au printemps, de clairières en valleuses, vers les plages d'Octeville et de Cauville, où l'attendaient, par vagues successives, les grandes eaux de la liberté. « À mesure que le genre humain vieillit, regrettait-il, nous devenons moins naïfs dans tout ce que nous faisons, et par conséquent moins poètes. » Entré en Résistance, Goderville n'a pas rassemblé des maximes, ni ciselé des apologues, ni célébré, comme certains maquisards de salon, sa patrie en alexandrins pompeux, ni travaillé sur le papier à sa gloire militaire.

L'intrépide est aveugle. Il n'a ni le temps, ni l'envie, ni la faculté de se chérir, et il advient même qu'il oublie de se souvenir des jours heureux. C'est ce qui rapproche le héros de l'enfant : ils sont intransigeants, ils ont l'arrogance des insolents, le présent leur appartient, la mort leur demeure une grande et lointaine illusion. Quand il avait vingt-sept ans, Prévost voulait déjà donner à sa jeunesse son âge mûr en otage. À quarante-trois ans, il lui a offert de ne plus devoir vieillir, de n'être jamais flétrie.

Seuls les spectateurs, immobiles, protégés du danger, s'adonnent à la stratégie, et fabriquent de l'éthique comme, dans leurs fauteuils de velours, les critiques distribuent des notes aux acteurs dont ils ne partagent ni le péril ni la gloire.

Ainsi Jean Prévost s'est bien gardé de toute morale. Il s'est gardé pour le poème, pour l'enfance. C'est le Panthéon des purs, où passent parfois les anges au crépuscule, et où les nuits ont des douceurs de mort chrétienne.

ANNEXE, I

En 1935, la fille de Claude Van Biéma, Martine (devenue Mme Roland Bechmann), proposa à Jean Prévost de remplir un fascicule intitulé *Mes confidences*. C'était une manière de Questionnaire style « Marcel Proust », mais destiné aux enfants. Prévost s'exécuta volontiers.

Ce fascicule demeura, en juin 1940, avec d'autres affaires et papiers, à Yvré-l'Évêque (Sarthe), où Claude Van Biéma remplaçait un médecin de campagne mobilisé. Après un long périple qui mena la mère et sa fille à Royan, puis à Paris (où elles habitèrent l'appartement de Prévost, quai d'Orsay), enfin à Lyon où elles retrouvèrent Jean Prévost, lequel venait de Casablanca où il avait été démobilisé, Claude Van Biéma renonça à récupérer ses biens restés dans la Sarthe.

Cinquante-deux années passèrent quand, visitant en mai 1992 l'exposition de la Bibliothèque nationale consacrée par Annie Angremy à Jean Prévost, Martine Bechmann eut la surprise et l'émotion de retrouver, prêté par la Bibliothèque de Grenoble, son exemplaire des *Confidences* auquel Jean Prévost avait bien voulu répondre. Le voici :

Nom et prénoms :
Prévost Jean.
Lieu de naissance :
France, Saint-Pierre-les-Nemours.

1. *Où faites-vous votre éducation?*
   Aucune éducation.
2. *Avez-vous des frères ou des sœurs?*
   Un cadet.
3. *Faites-moi votre portrait et dites-moi votre âge?*
   Nez moyen, intelligence moyenne. Trente-quatre ans.
4. *Quels sont vos qualités et vos défauts principaux?*
   Méthode, désordre, impatience, fatuité.
5. *Quel est selon vous l'idéal du bonheur?*
   L'anarchie en tout.
6. *Quel a été le plus beau moment de votre vie?*
   Un certain 11/11 (pas en 19).
7. *En avez-vous eu de pénibles?*
   Vingt-cinq mille heures environ.
8. *Aimez-vous votre journal?*
   Non.
9. *Quels sont les êtres qui vous paraissent le plus à plaindre?*
   Les enfants gâtés.
10. *Quelle est votre principale espérance?*
    Ne plus obéir.
11. *Quelle est la vertu qui vous semble le plus admirable?*
    L'insolence.
12. *Quel vice avez-vous en horreur?*
    La reconnaissance.
13. *Quel est l'animal que vous préférez?*
    L'ours.
14. *En avez-vous? Quels sont-ils?*
    On n'a que soi.

15. *Pour lequel vous sentez-vous le plus de pitié?*
Le petit d'homme.
16. *En est-il pour lequel vous éprouviez de l'aversion?*
Les bêtes d'appartement.
17. *À quel travail vous livrez-vous le plus volontiers?*
Prendre des notes sans rédiger.
18. *Quel est votre jeu préféré?*
Le bridge.
19. *Quelle occupation ou quel délassement vous est le plus agréable?*
Aller sur l'eau.
20. *Quelles sont votre couleur et votre odeur favorites?*
Bleu marine. Lavande anglaise.
21. *Quels sont le fruit et la fleur que vous préférez?*
Poire crassane. Rose thé.
22. *Avez-vous un mets de prédilection?*
Poulet froid mayonnaise.
23. *Que préférez-vous, habiter la ville ou la campagne?*
Bord de mer.
24. *Aimez-vous les voyages? En avez-vous fait?*
Trop peu.
25. *Aimez-vous la musique?*
Oui, sauf Gounod et Wagner.
26. *Quel personnage historique admirez-vous le plus?*
Phocion.
27. *Quel est le héros ou l'héroïne des livres que vous avez lus, que vous voudriez imiter?*
Pourquoi imiter?
28. *Quel moment de la journée préférez-vous, et pourquoi?*
Sept heures du matin ou cinq heures du soir.
29. *Quels sont vos prénoms favoris de fille ou de garçon?*
Claude, Prune, Camille, Crystel, Alain.

30. *Sur quelle devise voulez-vous régler votre conduite?*
Sapientia non mortis sed vitae meditatio est (Eth. IV).

Écrivez une pensée qui vous plaise :
Tout bon raisonnement offense (Stendhal, le *Rouge*).
La vie la plus parfaite est celle qui joint à la vertu assez d'argent pour faire ce que la vertu commande (Aristote, *Politique*, II).
Signez :
Jean Prévost.

ANNEXE, II

Jean Prévost était à Lyon, où il venait d'entrer à *Paris-Soir*, quand sa mère est morte. Il demanda un laissez-passer, qu'il obtint, afin de se rendre aux obsèques, à Yvetot. À son retour, il rédigea pour Michel, Françoise et Alain, sur un petit carnet, un court récit dans lequel il souhaitait portraiturer, sans tricher, celle avec qui il eut des rapports souvent conflictuels. Ce n'est pas un texte « littéraire » mais pédagogique : un père en exil, soucieux de généalogie, y instruit ses enfants et leur apprend de qui et d'où ils viennent.

GRAND-MÈRE
1872-1941

Pour ses petits-enfants

I

Vous l'avez connue qu'âgée de soixante ans. Elle ne vous a pas parlé de sa jeunesse. Et les photographies qui la montraient jeune fille ou jeune femme ont été détruites

169

en 1914, dans notre premier naufrage de réfugiés. Jusqu'à mes seize ans – en 1917 – elle aimait raconter son enfance.

Sa grand-mère était née Sion-Vaudémont. Elle en parlait rarement; votre grand-père y faisait allusion parfois, pour la taquiner. Elle se rappelait les admirables cheveux blancs de sa grand-mère.

Elle avait perdu sa mère quand celle-ci n'avait que cinquante ans; cette mort avait été pour elle un choc terrible, je crois. Elle en était restée persuadée qu'elle-même mourrait au même âge. En 1908, elle me racontait, un jour d'hiver, qu'elle avait traîné sa mère en traîneau, aidée par son frère et sa sœur. En le racontant, ses yeux s'emplissaient de larmes.

Sur ses portraits de jeune fille, elle apparaît un peu frêle, très vive, avec de grands cheveux blonds. Elle était, à ce moment-là, élève de l'École normale d'institutrices de Melun. Elle devait devenir professeur d'enseignement primaire supérieur, en passant par Fontenay-aux-Roses, quand une crise d'anémie arrêta net ses études.

Elle parlait de ses années d'études comme du meilleur temps de sa vie – et cela m'étonnait un peu. Elle me racontait des promenades où elle courait sur la crête des murs – et me défendait d'en faire autant. Elle avait été élève préparatrice de Gaston Bonnier, l'auteur des *Flores*.

Elle qui perdait facilement le nom des gens se rappelait le nom des arbres et des plantes avec une sûreté singulière.

Une de ses camarades d'école (j'ai oublié son nom) avait fondé plus tard un journal, *La Fronde*, pour soutenir les droits des femmes. Votre grand-mère citait souvent en riant une expression de ce journal : « L'homme, ce martyr ambulant. » Elle racontait aussi

170

avec plaisir qu'une de ses compagnes avait voulu se faire renvoyer de l'école, et y avait réussi. Au lieu de commenter la pensée de Montaigne : « Plutôt la tête bien faite que bien pleine », cette indisciplinée avait traité ce sujet : « Il vaut mieux être bien faite que bien pleine. »

Ses études arrêtées, elle était devenue institutrice à Forfry, en Seine-et-Marne. Puis, pour sa santé, elle prit une classe dans un très petit village : le Puiselet, au-dessus de Nemours, en pleine forêt de Fontainebleau. J'y suis retourné avec elle en 1917 : elle y était encore très aimée de ses anciennes élèves. Les enfants du Puiselet, un peu avant 1900, étaient de braves petits sauvages qui apportaient à leur institutrice, pour lui faire plaisir, des vipères prises à la main. Les vipères faisaient à votre grand-mère bien moins de peur que les souris. Pourtant, elle les aimait mieux en porte-monnaie.

Porte-monnaie peu garni : son père s'était ruiné dans « le Panama » comme on disait alors. Son frère Henri était parti enseigner à Yassy en Roumanie. Sa sœur devenait lentement professeur de violon. Elle avait vingt-sept ou vingt-huit ans, elle était devenue joyeuse et robuste, quand elle rencontra votre grand-père.

II

« Grand-père » était alors un jeune homme taillé en force, mais rapide à la course, avec des yeux bleus et des cheveux châtain clair. Il enseignait les mathématiques à l'école Bezout de Nemours; il était fort gai, manquait d'argent autant qu'elle. Ils se marièrent en 1900.

Pour monter le ménage, votre grand-père aida un professeur anglais à écrire une thèse (sur le *Manlius* de la

Fosse et la Venise preserved d'Otway). Tous deux visitèrent ensemble l'Exposition de 1900, Montmartre, le Chat-Noir. Puis ils allèrent en Normandie. « Grand-mère » et votre arrière-grand-père se plurent beaucoup. « Si mon fils n'est pas gentil avec vous, dit votre bisaïeul, prévenez-moi. »

Et tous deux – les jeunes mariés – rirent beaucoup. C'était, à Goderville, la maison des hommes forts. Votre bisaïeul avait assommé un taureau. Votre grand-père jonglait avec des poids de vingt kilos. Surtout il soulevait, assise dans sa chaise, sa sœur Madeleine, qui pesait quatre-vingt-dix-huit kilos, et la posait sur une table. Edmond Varin, maréchal-ferrant, taillé en Hercule et fiancé de Madeleine, essayait de renouveler cet exploit.

Après ces vacances, ils revinrent à Nemours; ils habitaient, à Saint-Pierre (de l'autre côté du canal), une petite maison grise. Votre grand-mère eut bientôt un congé.

Je suis né le 19 juin 1901; votre grand-mère disait que rien n'est si facile que de mettre un enfant au monde : cette bravoure faisait contraste avec sa crainte profonde du dentiste.

Elle me nourrit de son propre lait, sauf un seul jour où grand-père, parti à Paris pour acheter un fourneau, ne rentra qu'avec un retard énorme : c'était la faute du fourneau, peut-être celle d'un train.

À onze jours, ils fêtèrent la Saint-Jean dans une clairière; mon père alluma un genévrier, à la manière des bûcherons de Normandie. Cette année-là, l'année de ses trente ans, il se sentait une vigueur extraordinaire. Il sautait, et en l'air lançait un coup de pied qui atteignait deux mètres vingt – la lampe des becs de gaz de Nemours.

Il lisait à votre grand-mère le Cantique des Cantiques, qui est de Salomon, et qu'elle aimait beaucoup alors.

Vint l'époque des biberons du bébé (c'était moi). Un jour une vipère attirée par l'odeur du lait, se glisse dans les roues de ma voiture d'enfant; votre grand-père la tua d'un coup de bêche.

C'est dans le sable très blanc et chaud de Nemours que grand-mère à la fin du printemps de 1902, me fit faire mes premiers pas.

On m'avait déjà amené en Normandie dans un panier à linge, qui étonnait à Paris les employés d'octroi. Grand-mère m'apprit à parler fort bien et fort vite; je lui dois mon accent; à peine si quelques traces d'accent normand, comme *bâlai* pour *balai*, ont pu s'y glisser à Goderville. Grand-mère voulait rendre son fils également adroit des deux mains : comme il arrive souvent, elle me rendit gaucher. Pour instruire par expérience un enfant assez imprudent, elle me laissa me brûler avec du pain chaud. Il m'en est resté, sans doute pour la vie, une aversion extrême pour les brûlures. Au total, cette éducation était vive, excellente et gaie. Mais il fallait quitter Nemours, pour le triste pays de Lens.

Institutrice, grand-mère avait à Lens une classe de cinquante élèves – souvent cent, quand une collègue était malade. Les contagions – même la variole noire – étaient fréquentes à Lens. Il avait fallu me mettre, aussi tôt que possible, à l'école maternelle.

Je crois que les années de Lens ont été mauvaises pour grand-mère. Votre oncle Pierre était né, moins fort que moi; en 1905 une maladie très longue et très grave avait failli l'emporter. C'est là qu'elle a fait ses débuts dans la carrière où elle était le plus étonnante : celle de garde-malade. Une fois sauvé, elle l'emmena faire sa convalescence en Normandie. Je me brûlai la jambe en renversant le fourneau de cuisine : à elle les pansements.

Il y avait des jours gais. Grand-mère se rappelait qu'un jour, étonnée de ne pas entendre ses enfants, elle monte au grenier, où elle entend de légers rires, et un bruit de rebondissements plus capricieux que ceux d'une balle. Elle ouvre : c'était le chapeau haut de forme de votre grand-père, qui ne servait que le jour des prix, et que nous avions découvert.

Je savais lire, grâce à elle; à l'école maternelle, je servais à « épater » les inspecteurs. Mais elle en avait assez du métier et ne voulait plus enseigner. À Lens, les seules gens amusants et fréquentables étaient les mineurs. À Goderville, pendant les vacances, grand-père préparait à Polytechnique Louis Maury, qui devait devenir un ingénieur et un ami excellent. Il admirait beaucoup l'esprit et la vivacité de votre grand-mère.

Elle savait peindre les gens en quatre mots, se moquer d'eux. Elle s'est moquée de moi plusieurs années, parce que je lui avais dit que je la trouvais belle, et cela m'a fait du chagrin.

En 1907, grand-père devenait directeur d'école à Montivilliers – à dix-sept kilomètres de Goderville. Grand-mère avait à organiser une maison un peu délabrée, voisine d'un moulin – à tenir un pensionnat de soixante enfants. Elle avait beaucoup d'autorité. Souvent elle voulait faire elle-même les choses, et y réussissait : elle devint là bon peintre en bâtiment.

Elle a soigné à Montivilliers nos rougeoles, nos scarlatines et nos oreillons; outre les pensionnaires, la maison avait de jeunes étrangers, Anglais, Norvégiens, Annamites même : elle leur apprenait aisément le français. Elle apprit à monter à bicyclette à ce moment-là; elle allait vite, et perdait souvent son chemin. J'appris aussi, nous allions aux petites plages normandes, Octeville, Cauville, plus tard Saint-Jouin. Goderville passait pour une trop grande « course ».

L'hiver de 1908 fut rude; je jouais aux boules de neige avec elle. On la voyait rarement marcher dans sa grande maison : elle courait sans cesse. Ces années de Montivilliers – 1907-1913, étaient heureuses; votre oncle, rétabli, ne voulait pas aller à l'école, ni apprendre à lire. Grand-mère le rattrapa un jour par la culotte, presque tombé dans un caniveau, comme il lançait son alphabet dans la rivière.

Les grands moments de la vie de famille étaient les dîners de certains dimanches à Goderville. Un soir de Noël, comme nous allions, mon frère et moi, franchir le seuil, grand-mère s'écria : « N'entrez pas, la porte est ouverte! » Grand-père alla faire seul une reconnaissance militaire des lieux; personne; rien de volé; le mot de grand-mère devint proverbe dans la famille.

Grand-mère s'était fait trois amies : la femme du docteur Georges, et les mères de deux de mes camarades, Forterre et Martinais. Mme Forterre eut une typhoïde. Grand-mère qui avait peur des petits dangers, jamais des grands, lui rendait visite tous les jours. Mme Forterre (une des femmes les plus charmantes que j'aie connues) aussi gaie qu'elle-même, lui en a su beaucoup de gré.

Grand-mère me mit, à dix ans, au lycée de Rouen comme interne, ce que je trouvai dur. Elle venait me voir une fois par mois. En 1912, ma première communion eut lieu; elle y vint. J'étais très fervent, et je fus un peu scandalisé du bon repas qui suivit cette pieuse fête; la tête m'en tournait un peu, l'après-midi, à genoux dans ma chapelle.

En 1913, grand-mère m'envoya à Coblence, et me conduisit jusqu'à Paris. Elle me fit visiter, tombant de sommeil, un parc d'attractions où elle riait de tout son cœur. Le lendemain, au moment du départ, elle avait, tout d'un coup, des larmes aux yeux.

Je ne devais plus les revoir à Montivilliers; à mon retour d'Allemagne, vos pauvres grands-parents avaient accepté l'école professionnelle de Rethel – belle maison. Ils en profiteraient dix mois, à peine troublés par six semaines où j'eus mal aux yeux. Je ne pouvais plus lire; elle me lisait, ou m'amusait par des conversations, pendant quatre heures par jour peut-être.

Elle n'avait fait aucune prophétie pour la guerre de 1914. C'est votre grand-père qui disait : « Ils seront les plus forts d'abord; nous ne pourrons les battre qu'après », ce qui était raisonnable.

Votre grand-père fut appelé, pour garder les voies de chemin de fer plus à l'est. Ce jour-là, à ma grande surprise, grand-mère qui n'était pas très tendre avec grand-père, tomba dans ses bras et fondit en larmes.

Puis elle envoya mon frère à Goderville; je le précédai à Yvetot, où elle me rejoignit dès que Rethel fut évacué. Elle était très lasse, et résolut pourtant de se rendre à Roanne, chez sa sœur. Nous y arrivâmes en cinq jours, tués de fatigue et elle malade. Nous y retrouvions bientôt grand-père qui, les lignes coupées, avait regagné Reims.

Ils furent un instant à Montceau-les-Mines, puis, mon père remobilisé pour instruire les recrues en Bretagne, grand-mère revint à Nemours, où elle avait son frère et quelques anciens amis.

Son frère (mon oncle Henri) était malade. En septembre 1917, partant pour la chasse avec sa femme, il mourut dans mes bras (toute la maison s'était sauvée). Je revins prévenir grand-mère et repartis en bicyclette. Le lendemain, elle arriva juste pour la mise en bière; alors seulement elle le crut mort et s'écroula. Une histoire de sommeil léthargique, qui datait de son adolescence, lui avait laissé la terreur des ensevelissements prématurés.

III

C'est de ce moment, ou à peu près, que date pour moi la « conversion » de votre grand-mère; sa religion devint plus sévère, plus triste; elle adhéra vers la fin de la guerre aux oblats de saint Benoît.

En même temps, elle avait envie de revoir « sa » maison de Rethel. Le faux espoir d'une offensive, en 1917, l'avait menée à Châlons-sur-Marne. Il fallut en revenir, et passer une dernière année de guerre à Saint-Fargeau, dans l'Yonne.

Pendant cette guerre, nous étions pauvres. Grâce à ma bourse de lycée, grâce surtout à l'activité de grand-mère pour les vivres et le costume, je m'en apercevais peu.

Elle me taquinait beaucoup; elle m'appelait « mon petit garçon » quand je me croyais presque un homme; quand j'avais un succès au baccalauréat, elle me disait : « C'est grâce à la Neuvaine que j'ai faite pour que tu aies la mention bien. »

Elle voulait me rendre modeste; elle disait même : « Je t'aime quand tu es sage. » Je lui répondais :

« Tu m'aimais quand j'étais petit? »

Elle répondait :

« Je trouvais que la Phosphatine te profitait bien. »

Pourtant grand-père et oncle Pierre prétendaient que j'étais son préféré. Et sans doute ils disaient vrai : elle

s'en prenait surtout à ceux qu'elle aimait, et les tarabus-
tait pour leur bien. Ainsi nous n'étions pas toujours assez
reconnaissants, ni même assez justes, pour ses bienfaits et
pour sa grande affection.

IV
(inachevé)

BIBLIOGRAPHIE

ŒUVRES DE JEAN PRÉVOST

Plaisirs des sports, Gallimard, 1925.
Tentative de solitude, Gallimard, 1925.
Brûlures de la prière, Gallimard, 1926.
La Pensée de Paul Valéry, Fabre, 1926.
La Vie de Montaigne, Gallimard, 1926, et Zulma, 1992 (préface de Bernard Delvaille), et Livre de Poche, 1993.
Préface à *Le Citoyen contre les pouvoirs*, d'Alain, Sagittaire, 1926.
Essai sur l'introspection, Sans Pareil, 1927.
Merlin, petites amours profanes, Gallimard, 1927.
Préface à *Sa vie à ses enfants*, d'Agrippa d'Aubigné, Gallimard, 1928.
Le Chemin de Stendhal, Hartmann, 1929.
Deux heures de mathématiques, avec la collaboration d'Edmond Noël, Kra, 1929.
Dix-huitième année, Gallimard, 1929.
Eiffel, Rieder, 1929.
Polymnie ou les arts mimiques, Hazan, 1929.
« Traité du débutant », postface aux *Conseils aux jeunes littérateurs de Charles Baudelaire*, Hazan, 1929.
Les Frères Bouquinquant, Gallimard, 1930.
Traduction de *Don Segundo Sombra, roman de la pampa*, de Ricardo Güiraldes, en collaboration avec Marcelle Auclair, *Annales politiques et littéraires*, 1930, et Gallimard, 1953.
Les Épicuriens français, Gallimard, 1931.
Faire le point, Champion, 1931, et *Les Caractères*, Albin Michel, 1948.
Nous marchons sur la mer, trois nouvelles exemplaires, Gallimard, 1931.
Histoire de France depuis la guerre, Rieder, 1932.
Rachel, Gallimard, 1932.
Préface à *Sept vies d'artistes plus celle de l'auteur*, de Giorgo Vasari, Gallimard, 1932.

Préface à *Le Soleil se lève aussi*, d'Ernest Hemingway, Gallimard, 1933.
Le Sel sur la plaie, Gallimard, 1934, et Zulma, 1994 (préface de Jérôme Garcin).
Lucie-Paulette, Gallimard, 1935.
Introduction à *Le Mémorial de Sainte-Hélène* de Emmanuel de Las Cases, Gallimard, 1935.
Traduction de *La Femme adultère*, de Federico García Lorca, Mesures, 1935, et Gallimard, 1955.
La terre est aux hommes, Gallimard, 1936.
La Chasse du matin, Gallimard, 1937, et Zulma, 1994 (préface de Jérôme Garcin).
Maîtrise de son corps, Flammarion, 1938.
Nos enfants et nous, Flammarion, 1938.
Usonie, Esquisse de la civilisation américaine, Gallimard, 1939.
L'Amateur de poèmes, Gallimard, 1939 et 1990 (préface de Simon Nora, Introduction de Claude Roy).
Préface à *Robinson Crusoé*, de Daniel Defoe, Gallimard, 1939.
« Saint-évremond », in *Tableau de la littérature française, xviiᵉ-xviiiᵉ siècles*, Gallimard, 1939.
Apprendre seul, guide de culture personnelle, Flammarion, 1940, et Roger Maria éditeur, 1971.
L'Affaire Berthet, Paris-Soir, 1942, et Stock, 1987.
Essai sur les sources de Lamiel, Imprimeries réunies, 1942.
La Création chez Stendhal, Essai sur le métier d'écrire et la psychologie de l'écrivain, Sagittaire, 1942, et Mercure de France, 1951 (préface de Henri Martineau), et Gallimard, collection Idées, 1974.
Traduction de *Noces de sang*, de Federico García Lorca, en collaboration avec Marcelle Auclair, Gallimard, 1946.
Les Caractères, Albin Michel, 1948.
Philibert Delorme, Gallimard, 1948.
Baudelaire, essai sur l'inspiration et la création poétiques, Mercure de France, 1953.
Paris-La Défense, textes de Jean Prévost, photographies de Jean-Marie Chourgnoz, Impressions de l'Ancre, 1991.
Articles de Jean Prévost dans *La N.R.F.,* in *L'Esprit N.R.F.,* Gallimard, 1990 (présentation de Pierre Hebey).
Articles de Jean Prévost : collections des *Annales politiques et littéraires*, de *Confluences*, d'*Europe*, d'*Europe nouvelle*, de *Fontaine*, du *Navire d'argent*, de *Pamphlet*, de la *Revue des vivants*, de la *Revue européenne*, de *Vendredi*, etc.

ŒUVRES INACHEVÉES ET INÉDITES DE JEAN PRÉVOST

La Saga d'Harald Hardrada, roman, 1928.
Journal de travail, 1929-1931, 1931-1935, 1936-1939.
Rohart, roman, 1936.

Essai de psychologie génétique, 1942.
Vacances à Yvetot en 1914, 1942.
Analyse de l'ouvrage de Rudolf von Ihering, *Der Zweck im Recht*, 1942.
Les Campireali, pièce de théâtre, 1942.
Notes de journal, 1940-1942.
La correspondance.

SUR JEAN PRÉVOST

Situations, II, de Jean-Paul Sartre, Gallimard, 1948.
L'Œuvre de Jean Prévost, de Marc Bertrand, University of California Press Berkeley and Los Angeles, 1968.
Mémoires à deux voix, de Marcelle Auclair et Françoise Prévost, Seuil, 1978.
Jean Prévost, Portrait d'un homme, d'Odile Yelnik, Fayard, 1979 (préface de Vercors).
Le Temps immobile, de Claude Mauriac, Tomes VIII et IX, Grasset, 1985 et 1986.
« Jean Prévost », in *Les Normaliens*, de François Dufay et Pierre-Bertrand Dufort, Lattès, 1993.
Actes du Colloque Jean Prévost, organisé à la Bibliothèque nationale en mai 1992, Association Jean Prévost, 1993.

FONDS JEAN PRÉVOST

Bibliothèque municipale de Grenoble, Fonds dauphinois, donation de manuscrits par Marcelle Auclair.
Bibliothèque nationale, donation de manuscrits par Martine et Roland Bechmann, héritiers de Mme Claude Jean-Prévost.
Bibliothèque littéraire Jacques Doucet.
Montivilliers, service culturel de la mairie.

ÉLÉMENTS DE BIOGRAPHIE

1901 : Né le 13 juin à Saint-Pierre-les-Nemours.

1918 : Entre en hypokhâgne, au lycée Henri-IV. Professeur de philosophie : Alain.

1919 : Reçu à l'École normale supérieure (Ulm).

1924 : Premier article dans *La N.R.F.* (Journée d'un pugiliste).

1925 : Crée, avec Adrienne Monnier, le *Navire d'argent.*

1926 : Épouse Marcelle Auclair à Hossegor.

1927 : Naissance de Michel Prévost.

1929 : Naissance de Françoise Prévost.

1930 : Naissance d'Alain Prévost.

1931 : Lecteur à l'université de Cambridge.

1932 : Collabore notamment à l'*Europe nouvelle* et à *Pamphlet.*

1937-1938 : Voyage aux États-Unis.

1939 : Divorce d'avec Marcelle Auclair. Mobilisé au Service des écoutes téléphoniques du Havre.

1940 : Épouse en avril Claude Van Biéma. Replié à Cherbourg, puis à Casablanca, regagne la France en septembre. En août, s'installe à Lyon, journaliste à *Paris-Soir.*

1941 : Travaille à la bibliothèque de Grenoble sur les manuscrits de Stendhal.

1943 : Docteur ès lettres (*La Création chez Stendhal*) et Grand Prix de l'Académie française. Quitte Lyon pour Voiron. En mai, il entre dans le deuxième Comité de Combat. Plusieurs missions à Paris.

1944 : Prend le 9 juin, sous le nom de Goderville, le commandement d'une Compagnie dans le Vercors. Le 13 juin, à Saint-Nizier, repousse l'assaut de la 157ᵉ division de Gebirgsjäger. 23 juillet : ordre de dispersion. Refuge de la grotte des Fées. Tué à Engins par les Allemands le 1ᵉʳ août.

REMERCIEMENTS

Je remercie tout particulièrement Françoise et Michel Prévost,
Martine et Roland Bechmann,
Simon Nora,
de m'avoir ouvert leur cœur et leurs archives personnelles.

Composé et achevé d'imprimer
par le Société Nouvelle Firmin-Didot
à Mesnil-sur-l'Estrée, le 24 novembre 1994.
Dépôt légal : novembre 1994.
1er dépôt légal : décembre 1993.
Numéro d'imprimeur : 29079.
ISBN 2-07-073702-0./Imprimé en France.